Freitag

I

Kurz vor sieben war sie da. Sie hatte erwartet, am frühen Morgen rascher voran- und früher anzukommen. Als noch eine und noch eine Baustelle kam, wurde sie nervös. Würde er durch das Tor treten, vergebens nach ihr Ausschau halten und als erstes enttäuscht und entmutigt sein? Im Rückspiegel ging die Sonne auf – sie wäre ihr lieber entgegengefahren als vor ihr davon, auch wenn es sie geblendet hätte.

Sie parkte, wo sie immer geparkt hatte, und ging den kurzen Weg zum Tor so langsam, wie sie ihn immer gegangen war. Sie räumte alles, was ihr eigenes Leben betraf, aus ihrem Kopf und machte Platz für ihn. Zwar hatte er immer einen festen Platz in ihrem Kopf; es verging keine Stunde, ohne daß sie sich fragte, was er wohl gerade mache, wie es ihm wohl gerade gehe. Aber wenn sie ihm begegnete, gab es für sie nur ihn. Jetzt, wo sein Leben nicht mehr auf der Stelle trat, sondern wieder in Bewegung kam, brauchte er erst recht ihre Aufmerksamkeit.

Der alte Sandsteinbau lag in der Sonne. Wieder berührte es sie eigentümlich, daß ein Gebäude einem so häßlichen Zweck dienen und dabei so schön sein konnte: die Mauer mit dem wildem Wein, wiesen- und waldgrün im Frühling und Sommer, gelb und rot im Herbst, die kleinen Türme auf den Ecken und der große in der Mitte, dessen Fenster an die Fenster einer Kirche erinnerten, das schwere Tor, abweisend, als wolle es nicht die Bewohner ein-, sondern deren Feinde aussperren. Sie sah auf die Uhr. Die da drin ließen einen gerne warten. Oft war es ihr passiert, daß sie vergebens einen zweistündigen Besuch beantragt hatte und nach der bewilligten Stunde einfach nicht abgeholt wurde und noch eine halbe oder dreiviertel Stunde bei ihm saß, ohne wirklich mehr bei ihm zu sein.

Aber als die Glocken der nahen Kirche das Sieben-Uhr-Geläut begannen, ging das Tor auf, und er trat heraus und blinzelte in die Sonne. Sie lief über die Straße und umarmte ihn. Sie umarmte ihn, ehe er die beiden großen Taschen absetzen konnte, und er stand in ihrer Umarmung, ohne sie zu erwidern. »Endlich«, sagte sie, »endlich.«

»Laß mich fahren«, sagte er, als sie am Auto standen, »ich habe so oft davon geträumt.«

»Du traust dich? Die Autos sind schneller geworden und der Verkehr dichter.«

Er bestand darauf und fuhr auch weiter, als ihm vor Anstrengung der Schweiß auf die Stirn trat. Sie saß angespannt neben ihm und sagte nichts, wenn er in der Stadt beim Abbiegen und auf der Autobahn beim Überholen Fehler machte. Bis eine Raststätte angezeigt wurde und sie sagte: »Ich muß frühstücken, ich bin seit fünf Stunden auf.«

Sie hatte ihn alle zwei Wochen im Gefängnis besucht. Doch als er mit ihr an der Theke entlangging, das Tablett belud, an der Kasse stand, vom Klo kam und ihr gegenübersaß, war ihr, als sähe sie ihn nach langer Zeit erstmals wieder. Sie sah, wie alt er geworden war, älter, als sie bei ihren Besuchen wahrgenommen oder sich eingestanden hatte. Auf den ersten Blick war er immer noch ein gutaussehender Mann, groß, kantiges Gesicht, leuchtendgrüne Augen, volles graubraunes Haar. Aber die schlechte Haltung betonte den kleinen Bauch, der nicht zu den dünnen Armen und Beinen paßte, der Gang war schleppend, das Gesicht grau, und die Falten, kreuz und quer auf der Stirn und steil und lang in den Wangen, zeigten nicht Konzentration an, sondern ein diffuses Überfordertsein. Und wenn er redete – sie erschrak über die Schwerfälligkeit und Zögerlichkeit, mit der er auf ihre Worte reagierte, und über die zufälligen, fahrigen Handbewegungen, mit denen er seine Worte unterstrich. Wie hatte sie das bei ihren Besuchen nicht bemerken können? Was, das mit ihm und in ihm vorging, hatte sie sonst nicht bemerkt?

»Wir fahren zu dir?«

»Wir fahren übers Wochenende aufs Land. Margarete und ich haben in Brandenburg ein Haus gekauft, in schlechtem Zustand, ohne Heizung, ohne Elektrizität, und Wasser gibt's nur draußen an der Pumpe, aber mit einem großen alten Park. Jetzt im Sommer ist es dort wunderschön.«

»Wie kocht ihr?«

Sie lachte. »Das interessiert dich? Mit dicken roten Gaskartuschen. Für das Wochenende habe ich zwei extra; ich habe die alten Freunde eingeladen.«

Sie hatte gehofft, er werde sich freuen. Aber er zeigte keine Freude. Er fragte nur: »Wen?«

Sie hatte hin und her überlegt. Welche alten Freunde würden ihm guttun, welche würden ihn nur verlegen oder verschlossen machen? Er muß unter Menschen, sagte sie sich. Außerdem braucht er Hilfe. Von wem, wenn nicht von den alten Freunden? Am Ende setzte sie darauf, daß die, die sich über ihren Anruf freuten und kommen wollten, auch die richtigen seien. Bei manchen von denen, die absagten, spürte sie aufrichtiges Bedauern; sie wären gerne dabeigewesen, wenn sie es früher gewußt und nicht schon anders geplant hätten. Aber was sollte sie machen? Die Entlassung war überraschend gekommen.

»Henner, Ilse, Ulrich mit neuer Frau und Tochter, Karin mit Mann, natürlich Andreas. Mit dir, Margarete und mir sind wir zehn.«

»Marko Hahn?«

»Wer?«

»Du weißt schon, er hat mir lange nur geschrieben, mich vor vier Jahren das erste Mal besucht und seitdem verläßlich immer wieder. Neben dir ist er...«

»Du meinst den Verrückten, der dich beinahe die Begnadigung gekostet hat?«

»Er hat nur getan, worum ich ihn gebeten habe. Ich habe das Grußwort geschrieben, ich kannte die Adressaten und den Anlaß. Du hast ihm nichts vorzuwerfen.«

»Du hast nicht wissen können, was du anrichtest. Er hat es gewußt und dich nicht abgehalten, sondern reingeritten. Er benutzt dich.« Sie war wieder so wütend wie an dem Morgen, an dem sie in der Zeitung las, daß er an einen obskuren linken Kongreß über Gewalt eine Grußbotschaft geschrieben hatte. Damit habe er seine Unfähigkeit zu Einsicht und Reue offenbart – so einer dürfe nicht begnadigt werden.

»Ich rufe ihn an und lade ihn ein.« Er stand auf, suchte

und fand in seiner Hosentasche Münzen und ging zum Telephon. Sie stand auch auf, wollte ihm nachlaufen und ihn festhalten, setzte sich. Als sie sah, daß er im Gespräch nicht weiterwußte, stand sie wieder auf, ging zu ihm, nahm den Hörer und beschrieb den Weg zu ihrem Haus. Er legte den Arm um sie, und das tat ihr so wohl, daß sie versöhnt war.

Als sie weiterfuhren, saß sie am Steuer. Nach einer Weile fragte er: »Warum hast du meinen Sohn nicht eingeladen?«

»Ich habe ihn angerufen, und er hat einfach aufgelegt. Dann habe ich ihm einen Brief geschrieben.« Sie zuckte die Schultern. »Ich wußte, daß du ihn gerne dabeihaben würdest. Ich wußte auch, daß er nicht kommen würde. Er hat sich schon vor langem gegen dich entschieden.«

»Das war nicht er. Das waren sie.«

»Was für einen Unterschied macht das? Er ist der geworden, den sie aufgezogen haben.«

2

Henner wußte nicht, was er von dem gemeinsamen Wochenende halten und was er erwarten sollte: vom Wiedersehen mit Jörg, von dem mit Christiane und mit den anderen alten Freunden. Als Christianes Anruf gekommen war, hatte er sofort zugesagt. Weil er ein Flehen in ihrer Stimme gehört hatte? Weil frühe Freundschaft ein Recht auf lebenslange Loyalität hat? Aus Neugier?

Er kam früh. Er hatte auf der Landkarte gesehen, daß Christianes Haus an ein Naturschutzgebiet grenzte, und wollte vor dem Wiedersehen gerne noch laufen. Laufen, durchatmen, abschalten. Er war erst am Mittwoch von einer Konferenz in New York unter das Gesetz seines übervollen Schreibtischs und übervollen Terminkalenders zurückgekehrt.

Erstaunt sah er, wie stattlich das Anwesen war: steinerne Mauer, eisernes Tor, hohe Eiche vor dem Haus und weiter Park dahinter, das Haus ein mehrere hundert Jahre alter Landsitz. Alles war heruntergekommen. Das Dach war mit rostigem Wellblech gedeckt, der Verputz des Hauses bröckelte und schimmelte, und die Wiese, zu der sich die Terrasse an der Rückseite einst geöffnet hatte, war mit Gesträuch und Gehölz zugewachsen. Aber die Fenster waren neu, vor dem Haus war frisch gekiest, auf der Terrasse standen hölzerne Biergartenmöbel, ein Tisch und vier Stühle aufgeschlagen, weitere Tische und Stühle zusammengefaltet, und die Wege in den Park waren vom Bewuchs freigeräumt worden.

Henner nahm einen der Wege und tauchte in eine stille, grüne Waldwelt ein; über sich sah er keinen Himmel, sondern sonnenhelles Blattwerk, und auf den beiden Seiten des grasbewachsenen Wegs schien es durch das Dickicht von Stämmen und Büschen kein Durchkommen zu geben. Eine Weile hüpfte ihm auf dem Weg ein Vogel voraus; er verschwand so plötzlich, daß Henner nicht hätte sagen können, wohin er verschwunden und ob er davongehüpft oder -geflogen war. Henner begriff, daß die vielen Windungen des Wegs daher rührten, daß der Architekt den Park weitläufig erscheinen lassen wollte. Trotzdem fühlte er sich wie in einem Zauberwald, als sei er verwunschen und sei ihm verwehrt, wieder nach draußen zu finden. Als er dachte, daß er auch gar nicht mehr nach draußen finden wolle, war die Waldwelt zu Ende und stand er vor einem breiten Bach, am anderen Ufer lagen Felder und in der Ferne ein Dorf mit Kirchturm und Getreidesilos. Immer noch war alles still.

Dann sah er bachab eine Frau auf einer Bank sitzen. Sie hatte geschrieben, Heft und Stift auf den Schoß sinken lassen und beobachtete ihn. Er ging zu ihr. Eine graue Maus, dachte er, unscheinbar, unbeholfen, unsicher. Sie sah ihm entgegen. »Du kennst mich nicht mehr?«

»Ilse!« So oft passierte es ihm, daß er einem ihm vertrauten Menschen gegenüberstand und einfach nicht auf den Namen kam – er freute sich, daß er auch einmal sofort den

Namen zu einem Gesicht fand, das er fast nicht mehr wiedererkannt hätte. Als er Ilse irgendwann in den siebziger Jahren zum letzten Mal gesehen hatte, war sie eine hübsche junge Frau gewesen, Nase und Kinn ein bißchen spitz, der Mund ein bißchen streng, die Haltung immer ein bißchen gebeugt, damit ihre großen Brüste keine Blicke auf sich zogen, aber sie leuchtete hellhäutig, blauäugig, blond. Jetzt fand Henner das Leuchten nicht mehr, auch wenn sie mit freundlichem Lächeln auf das Wiedersehen und Wiedererkennen reagierte. Er war verlegen, als sei, daß sie nicht mehr war, was sie damals zu sein und zu bleiben versprochen hatte, peinlich. »Wie geht's dir?«

»Ich mache frei. Drei Stunden Englisch – meine Freundin ist für mich eingesprungen und hat es sicher gut gemacht, aber wenn sie mich anrufen würde oder ich sie erreichen könnte, wäre mir wohler.« Sie sah ihn an, als könne er ihr helfen. »Ich habe das noch nie gemacht: einfach freimachen.«

»Wo bist du Lehrerin?«

»Ich bin geblieben. Als ihr weg seid, habe ich den Referendar fertiggemacht, die erste Stelle gefunden und dann an meiner alten Schule die zweite. Ich habe sie immer noch: Deutsch, Englisch, Kunst.« Als wolle sie's hinter sich bringen, fuhr sie fort: »Ich habe keine Kinder. Ich habe nicht geheiratet. Ich habe zwei Katzen und eine Eigentumswohnung am Berg mit Blick auf die Ebene. Ich bin gerne Lehrerin. Manchmal denke ich, daß dreißig Jahre genug sind, aber das geht wohl jedem so mit seinem Beruf. Ist ja auch nicht mehr lange.«

Henner wartete auf die Gegenfrage. Und wie geht es dir?

Als sie nicht kam, fragte er weiter. »Warst du mit Jörg und Christiane immer in Kontakt?«

Sie schüttelte den Kopf. »Christiane habe ich vor ein paar Jahren zufällig auf dem Frankfurter Bahnhof getroffen; der Schnee hatte den Fahrplan durcheinandergebracht, und wir warteten auf unsere Anschlüsse. Seitdem haben wir ab und zu telephoniert. Sie hat gesagt, ich soll Jörg schreiben, aber ich habe mich lange nicht getraut. Als er den Antrag gestellt hat, habe ich's schließlich getan. ›Ich flehe nicht um Gnade. Ich habe diesen Staat bekämpft, und er hat mich bekämpft, und wir schulden einander nichts. Wir schulden Treue nur dem eigenen Anspruch.‹ Erinnerst du dich? Die Ankündigung, er habe den Antrag auf Begnadigung gestellt, war so stolz – auf einmal war Jörg wieder der Junge, den ich kennengelernt habe. In den ich mich verliebt habe.« Sie lächelte. »Er hat es damals nicht gemerkt und ihr erst recht nicht. Ihr wart alle... Ich hatte immer Angst vor euch. Weil ihr so genau wußtet, was richtig und was falsch und was zu tun ist, weil ihr so entschlossen wart, unbedingt, unbeugsam, furchtlos. Für euch war alles einfach, und ich schämte mich, daß es für mich schwierig war und ich nicht wußte, wie das mit dem Kapital war und dem Staat und den Herrschenden, und wenn ihr von den Schweinen redetet... » Sie schüttelte wieder den Kopf, verloren an ihre damalige Scham und Angst. »Und ich mußte rasch fertig werden und Geld verdienen, und ihr hattet alles Geld und alle Zeit der Welt, und eure Väter – Jörgs und Christianes war Professor, deiner Rechtsanwalt, der von Ulrich Zahnarzt mit großer Praxis und der von Karin Pfarrer. Mein Vater hatte in Schlesien seinen kleinen Bauernhof verloren, der ihn kaum ernährt, ihm aber gehört hatte, und arbeitete in einer Molkerei. ›Unser Milchmädchen‹ habt ihr mich manchmal genannt, und es war lieb gemeint, denke ich, aber ich habe nicht zu euch gepaßt, und ihr habt mich mehr so geduldet, und wenn ich verschwunden wäre ...«

Henner versuchte, Erinnerungen zu finden, die zu Ilses Erinnerungen paßten. Hatte er sich als jemand gegeben, der alles genau wußte und alle Zeit der Welt hatte? Hatte er von Polizisten, Richtern oder Politikern als Schweinen geredet? Hatte er Ilse ›unser Milchmädchen‹ genannt? Es war alles weit weg. Er erinnerte sich an die Atmosphäre der durchdiskutierten Nächte mit zu vielen Zigaretten und zu viel billigem Rotwein, an das Gefühl, ständig auf der Suche zu sein und die richtige Analyse, die richtige Aktion finden zu müssen, an die Hochgestimmtheit bei gemeinsamen Planungen und Vorbereitungen und an das intensive Erlebnis, den intensiven Genuß der eigenen Stärke, wenn ihnen der Hörsaal gehörte oder die Straße. Aber worüber diskutiert und wonach eigentlich gesucht wurde und warum Hörsäle und Straßen erobert werden mußten, kam in seinen Erinnerungen nicht vor und schon gar nicht, wie es Ilse gegangen war. Hatte sie ihnen die Zigaretten geholt und den Kaffee gekocht? Sie unterrichtete Kunst – hatte sie die Plakate gemalt? »Ich finde gut, daß du dich um Jörg gekümmert hast. Ich habe ihn besucht, als er verurteilt wurde, und keinen vernünftigen Satz mit ihm wechseln können. Das war's – bis zu Christianes Anruf vor einer Woche. Hat er sich sehr verändert?«

»Oh, ich habe ihn nicht besucht, ihm nur geschrieben. Er hat mich nie eingeladen.« Sie sah ihn prüfend an, er wußte nicht, ob sie sein langes Desinteresse an Jörg nicht verstand oder sein jetziges Interesse daran, wie Jörg sich verändert haben mochte. »Wir werden es bald sehen, nicht wahr?«

3

Als Henner gegangen war, schlug Ilse das Heft auf und las, was sie geschrieben hatte.

Die Beerdigung fand an einem warmen, sonnigen Tag statt. Es war ein Tag, an dem man hätte an einen See fahren mögen, baden, eine Decke ausbreiten, Rotwein, Brot und Käse auspacken, essen und trinken, den Blick in den Himmel richten und die Gedanken mit den Wolken ziehen lassen. Kein Tag zum Trauern, kein Tag zum Totsein.

Die Trauergäste warteten vor der Kirche. Sie begrüßten einander, erkannten sich wieder oder stellten sich vor, waren verlegen. Jedes Wort war falsch. Die Äußerungen der Anteilnahme waren bemüht, die ausgetauschten Erinnerungen blaß, und fragte einer nach dem Warum, wurde die Frage hilflos und irritiert abgewehrt. Jedes Wort war falsch, weil Jans Tod falsch war. Er hätte sich nicht umbringen, seine drei kleinen Kinder nicht zu Waisen und seine Frau nicht zur Witwe machen dürfen. Wenn man's mit Frau und Kindern nicht mehr aushält, läßt man sich scheiden. Sich umbringen, sich davonstehlen und Frau und Kinder mit Schuldgefühlen zurücklassen – es gehört sich nicht.

Da, wo die alten Freunde zusammenstehen, sagt es

einer. Ein anderer schüttelt den Kopf. »Jan hat Ulla geheiratet, als sie schwanger wurde, er hat sich nach dem ersten Kind noch auf die Zwillinge eingelassen, damit sie nicht merkt, daß er sie nicht liebt, er hat die Universität aufgegeben und ist Rechtsanwalt geworden, damit Ulla und die Kinder es gut haben, er hat sich zu Hause abgemüht, damit Ulla fertigstudiert – alles, weil es sich so gehört. Wie lange schafft man das? Sich verleugnen, weil es sich so gehört? Und wenn man's schafft – ist man dann nicht schon so gut wie tot?« Ein dritter stoppt ihn. »Ulla kommt.«

In der Kirche spricht Jans Vater. Er erzählt, wie unfaßlich das Geschehene ist: Jans Verschwinden und einige Tage später sein Auftauchen in der Normandie, vergiftet von den Abgasen, die er in sein Auto geleitet hat, das Auto mit Blick auf das Meer in der Nähe eines Orts geparkt, in dem er vor Jahren einmal besonders glücklich war. Er spricht von der unfaßlichen Heftigkeit des depressiven Schubs, der Jan zur Flucht nicht nur aus Familie und Beruf, sondern in den Tod getrieben hat. Er ist das weißhaarige Oberhaupt einer Familie mit vielen Kindern und Enkeln, ein Pfarrer im Ruhestand, und spricht vom depressiven Schub mit einer Autorität, die auch die Freunde beeindruckt, die sich nicht erinnern, Jan jemals depressiv erlebt zu haben. Wissen sie's besser als der Vater?

Ilse sah die Beerdigung wieder deutlich vor sich. Es war das letzte Mal, daß sie mit den Freunden, mit denen sie das Wochenende verbringen würde, zusammen war. Jörg war wenig später untergetaucht. Bei der Beerdigung hatte er für Jan nur Verachtung; man wirft sein Leben nicht wegen bürgerlicher Dusseleien weg, wenn es einen großen Kampf gibt, für den es eingesetzt werden kann. Christiane hatte gespürt, was sich bei Jörg vorbereitete, war viel um ihn und bestätigte seine verächtlichen und revolutionären Ansichten, als wolle sie ihm zeigen, daß er mit ihnen einen Platz in der Welt habe und also ihretwegen nicht untertauchen müsse. Auch die anderen zerstreuten sich wenig später in alle Winde. In gewisser Weise hatte Jörg getan, was damals für alle anstand: die Weiche seines Lebens gestellt.

Aber nicht das bevorstehende Wiedersehen mit den Freunden hatte ihr die Beerdigung in Erinnerung gerufen. Es hatte ihr nur den Anstoß gegeben, mit dem Schreiben anzufangen. Sie hatte sich ein großformatiges, pappgebundenes, dickes Heft gekauft und einen grünen Stift mit langer Bleistiftmine, wie ihn, so wurde ihr erklärt und so gefiel's ihr, Architekten benutzen. Sie war am Donnerstag nach der Schule aufgebrochen und mit Zug und Bus und Taxe hergekommen, um am nächsten Morgen am fremden Ort zu wagen, was ihr am vertrauten wie eine Anmaßung vorkam: schreiben.

Nein, die Beschäftigung mit der Beerdigung hatte schon vor Jahren begonnen. Sie hatte sich damals mit einem Theaterstück beschäftigt, auf das sie aufmerksam geworden war, weil ein Bild des 11. September sie nicht losließ. Nicht das Bild der Flugzeuge, die in die Türme flogen, nicht das Bild der rauchenden, nicht das der einstürzenden Türme, nicht das Bild der staubbedeckten Menschen. Was sie nicht losließ, war das Bild der fallenden Körper, manche einzeln, manche zu zweien, sich beinahe berührend oder sogar an den Händen haltend. Sie konnte es nicht von ihren Augen abtun.

Ilse hatte gelesen, was sie finden konnte. Daß die Schätzungen über die Zahl der fallenden Körper zwischen fünfzig und zweihundert schwankten. Daß viele sprangen, einige aber an die Fenster geflüchtet waren und, wenn die Scheiben barsten, von anderen Flüchtigen hinausgedrängt oder vom Luftsog hinausgezogen wurden. Daß von denen, die sprangen, die einen sich angesichts der ausweglosen Lage zum Sprung entschieden hatten, die anderen von der unerträglich schmerzenden Hitze einfach hinausgetrieben wurden. Daß die Hitze über fünfhundertfünfzig Grad stieg und die Menschen erreichte, bevor die Flammen sie erreichten. Daß die Fallhöhe über vierhundert Meter betrug und der Fall bis zehn Sekunden dauerte. Daß die Aufnahmen der fallenden Körper zu unscharf waren, um Gesichter erkennen zu können. Daß Angehörige manchmal meinten, einen fallenden Körper immerhin an seiner Kleidung zu erkennen, und davon teils getröstet, teils erschreckt wurden. Daß unter den Toten die, die gefallen waren, nicht zu identifizieren waren.

Aber keine Information berührte sie so wie das Bild. Die fallenden Körper, stets beide Arme und oft alle Glieder weit von sich gestreckt. Vielleicht hätte Ilse statt der einzelnen Aufnahmen, die sie in Büchern fand, auch Filmaufnahmen finden und die Körper tatsächlich fallen sehen können, fuchteln, zappeln. Aber sie hatte Angst davor. Manche fallenden Körper sahen auf den Aufnahmen aus, als schwebten sie zu Boden oder sogar als flögen sie davon. Ilse hoffte und zweifelte. Kann einer das? Kann einer in dieser Situation springen, um zu schweben, zu fliegen, sei es auch nur für die letzten zehn Sekunden? Kann er diese zehn Sekunden, die durch einen plötzlichen und schmerzlosen Tod beendet werden, noch mal mit der ganzen Freude genießen, mit der wir Leben zu genießen fähig sind?

In dem Theaterstück sollte ein Mann am Morgen des 11. September in einem der beiden Türme bei der Arbeit sitzen, verspätete sich aber und sah die Chance, für alle Welt tot zu sein, sich aus seinem alten Leben davonzustehlen und ein neues zu beginnen. Ilse hatte das Theaterstück nicht gesehen und nicht gelesen. In ihrer Vorstellung hat der Mann die Bilder der fallenden, schwebenden, fliegenden Körper gesehen und ist dadurch darauf gekommen, davonfliegen zu wollen – das hat ihr eingeleuchtet und genügt. Und es hat ihre Phantasie beschäftigt und ihr Jans Beerdigung in Erinnerung gerufen und mit ihr die Frage, ob er sich tatsächlich umgebracht und nicht vielmehr aus seinem alten Leben davongemacht hat, um ein neues zu beginnen. Alles, was Ulla und sie im Jahr nach Jans Tod umgetrieben hat, war wieder gegenwärtig, von der Beerdigung bis zu dem mysteriösen Anruf, den fremden Kleidungsstücken, den fehlenden Akten, dem Obduktionsbericht.

4

Als Henner nach einem großen Bogen über die Felder zum Haus zurückkam, parkte ein weiterer Wagen vor dem Tor, ein großer silberner Mercedes mit Hamburger Kennzeichen. Die Tür zum Haus stand auf, Henner ging hinein, und als sich seine Augen an den Dämmer gewöhnt hatten, sah er links eine Treppe zum nächsten Geschoß und auf eine Galerie führen, die an beiden Seiten in Türen endete. Treppe und Galerie waren mit einem Metallgerüst abgestützt, von den Wänden blätterte wieder der Putz, und im Boden waren viele Natursteinplatten durch Zementkleckse ersetzt. Aber alles war sauber, und gegenüber dem Eingang stand auf einem alten Tisch eine große Vase mit bunten Tulpen.

Oben wurde eine Tür geöffnet und geschlossen, kurz klangen Reden und Lachen aus dem Zimmer dahinter. Henner sah hoch. Mit langsamem, schwerem Schritt, die linke Hand am Geländer, kam eine Frau die Treppe herunter. Als habe sie Schmerzen in der linken Hüfte oder im linken Bein, dachte Henner, und daß sie zu dick sei. Er gab ihr fünfzig, ein paar Jahre weniger, als er selbst zählte. Sie war zu jung, um schon an Arthrose zu leiden. Hatte sie einen Unfall gehabt?

»Sind Sie auch gerade angekommen?« Mit dem Kopf

zeigte er in die Richtung, in der vor dem Haus der Mercedes parkte.

Sie lachte. »Nein.« Auch sie winkte mit dem Kopf kurz zum Mercedes. »Das ist Ulrich mit Frau und Tochter. Ich bin Margarete, Christianes Freundin, und gehöre hierher. Ich muß wieder in die Küche – kommst du mit und hilfst mir?«

Die nächste Stunde stand er in der Küche, pellte Kartoffeln, schnitt sie in Scheiben, würfelte Senfgurken, hackte Schnittlauch und ließ sich sagen, was in die Salatsoße gerührt gehörte. »Gerührt, nicht geschüttelt« – er versuchte einen Witz. Margaretes Leichtigkeit, Gelassenheit, Fröhlichkeit irritierten ihn. Es war die Fröhlichkeit der Einfältigen und die Gelassenheit der Glückspilze, die in der Welt zu Hause sind, ohne dafür arbeiten zu müssen – Henner mochte beide nicht. Auch ihre körperliche Ausstrahlung irritierte ihn. Es war eine erotische Ausstrahlung, die ihm doppelt unbegreiflich war; er mochte keine dicken Frauen, seine Freundinnen waren immer schlank wie Models, und Margarete, von seinem Charme überhaupt nicht beeindruckt, war womöglich mehr als nur eine Freundin von Christiane. Womöglich wußte sie auch mehr über ihn, als eine Freundin sonst weiß. Wenn er an die eine Nacht vor Jahren mit Christiane zurückdachte, fühlte er sich wieder benutzt und war wieder verletzt. Zugleich blieb Christianes damaliges Verhalten so sonderbar, daß er wieder das Gefühl hatte, er habe etwas nicht verstanden, und die Angst, er habe versagt. War er deshalb gekommen? Hatte Christianes Anruf den Wunsch geweckt, endlich zu wissen, was damals passiert war?

»Magst du die Bowle versuchen?« Sie hielt ihm ein Glas entgegen, und er sah ihr an, daß sie ihn schon einmal gefragt hatte. Er wurde rot.

»Entschuldigung.« Er nahm das Glas. »Gern.« Es war Bowle von weißen Pfirsichen, und der Geschmack erinnerte ihn an seine Kindheit, in der es keine gelben, sondern nur weiße Pfirsiche gab, und daran, wie seine Mutter im Garten zwei Pfirsichbäume gepflanzt hatte. Er gab Margarete das leere Glas zurück. »Ich bin mit dem Kartoffelsalat fertig. Kann ich noch etwas tun? Weißt du, wo ich schlafe?«

»Ich zeig's dir.«

Aber auf der Treppe kam ihnen Ulrich mit Frau und Tochter entgegen. Der kleine Ulrich mit großer Frau und großer Tochter. Henner ließ sich begrüßen und umarmen und auf die Terrasse mitnehmen. Das Quirlige und Poltrige an Ulrich war ihm zuviel, wie früher, und ihn störte, daß die Frau sich darin gefiel, beim Lachen den Kopf zurückzuwerfen, und daß die Tochter mit langen, übereinandergeschlagenen Beinen, kurzem Rock, knappem Top und Schmollmund gelangweilt und herausfordernd posierte.

»Keine Elektrizität – wir müssen uns in mein Auto setzen, wenn wir den Bundespräsidenten hören wollen. Vorhin kam in den Nachrichten, daß er am Sonntag die Berliner Domrede halten wird, und ich wage jede Wette, daß er Jörgs Begnadigung verkünden wird. Sehr anständig, muß ich sagen, sehr anständig, daß er's tut, nachdem Jörg schon raus ist und sich einen Fleck suchen konnte, wo ihn kein Reporter und keine Kamera finden.« Ulrich schaute sich um. »Kein schlechter Fleck, kein schlechter Fleck. Aber ewig kann er sich hier auch nicht verstecken. Weißt du, was er vorhat? In Kunst und Kultur nehmen sie solche wie ihn, als Assistenten fürs Bühnenbild oder für die Beleuchtung oder zum Korrekturenlesen. Er kann gerne in einem meiner Dentallabors anfangen, aber das wird ihm nicht schick genug sein. Nichts für ungut, aber dafür, daß ich das Studium abgebrochen habe und Zahntechniker geworden bin, habt ihr mich immer ein bißchen verachtet.«

Wieder erinnerte Henner sich nur mühsam. Auf Demonstrationen war Ulrich regelmäßig dabeigewesen, und bei einem Buttersäure-Anschlag auf einen Politiker hatte er die harmlose, aber stinkende Flüssigkeit besorgt. Verachtung? Einen werktätigen Ulrich würden sie damals eher bewundert als verachtet haben. Er sagte es Ulrich.

»Schon gut, schon gut. Ich lese manchmal deine Sachen – erste Sahne. Und die Blätter, für die du schreibst, *Stern, Spiegel, Süddeutsche* – erste Adressen. Das Intellektuelle ist ja nun nicht so meines geworden, will sagen, ich verfolge es, halte mich aber letztlich raus. Aber was das Ökonomische angeht – ich glaube, mit meinen Dentallabors schlage ich euch Intellektuelle um Längen. So macht jeder seines, ich, du, Jörg. Das habe ich mir auch gesagt, als Christianes Anruf kam. Jeder macht seines, habe ich mir gesagt. Ich urteile nicht über andere. Jörg hat Scheiß gebaut, hat bezahlt, und jetzt ist gut und soll er sein Leben wieder auf die Reihe kriegen. Leicht wird es ihm nicht werden. Er hat früher nicht gewußt, wie man arbeitet und mit Menschen zurechtkommt und mit der Welt im Frieden lebt – wie soll er es jetzt können? Ich glaube nicht, daß einer das im Gefängnis lernt – was meinst du?«

Henner kam nicht dazu zu sagen, er wisse es nicht. Karin

und ihr Mann traten aus dem Haus auf die Terrasse. Henner freute sich über das vertraute Gesicht und darüber, daß er wieder sofort auf den Namen kam. Sie war Pfarrerin gewesen und Bischöfin einer kleinen Landeskirche geworden, und er hatte sie vor ein paar Jahren über Kirche und Politik interviewt und im letzten Jahr mit ihr in einer Talkshow gesessen. Beidemal hatte er erfreut festgestellt, daß es kein Zufall war, daß er sie im Studium gemocht hatte. Sie hatte eine Klugheit, die ihm gefiel und über der er ihr das betont Sanfte und Getragene in Stimme und Rede nachsah. Pfarrer werden eben salbungsvoll, sagte er sich, so wie Journalisten großspurig werden. Und auch wenn man bei Pfarrern nie weiß, wie weit ihre Freundlichkeit dem Beruf geschuldet oder in Sympathie gegründet ist, hatte Henner den Eindruck, sie sei auch ihm gerne wieder begegnet. Ihr Mann Eberhard, ein pensionierter Kustos eines süddeutschen Museums, war viel älter als sie, und die liebevolle Fürsorglichkeit, mit der er ihr, als es kühler wurde, eine Stola holte und umlegte, und die Anschmiegsamkeit, mit der sie ihm dankte, ließen Henner denken, daß sich in dieser Liebe die Sehnsucht einer Tochter und eines Vaters erfüllte. Der Mann durchschaute die Konstellation am Tisch, noch ehe er sich setzte, plazierte seinen Stuhl zwischen Ulrichs Frau Ingeborg und Tochter Dorle und verstand, die beiden in ein Gespräch zu ziehen, bei dem sogar der gelangweilte und herausfordernde Schmollmund gelegentlich fröhlich lachte.

Als Margarete Andreas auf die Terrasse begleitete, verkündete sie, Jörg und Christiane hätten von unterwegs angerufen, sie träfen in einer halben Stunde ein. Um sechs gebe es auf der Terrasse den Aperitif und um sieben im Salon das Abendessen – wenn sich einer vor dem Abend noch die Beine vertreten wolle, jetzt sei dafür die Zeit. Sie werde um kurz vor sechs mit der Glocke rufen.

Die anderen blieben sitzen, Henner stand auf. Andreas war keiner von den alten Freunden, die sich schon in der Schule oder in den ersten Semestern auf der Universität kennengelernt hatten. Er war Jörgs Verteidiger gewesen, bis er sein Mandat niederlegte, weil Jörg und die anderen Angeklagten ihn politisch vereinnahmen wollten. Er wurde wieder sein Anwalt, als Jörg ihn vor ein paar Jahren um Unterstützung bei seinen Bemühungen um vorzeitige Entlassung bat. Auch ihm war Henner früher schon begegnet. Wenn die Choreographie des Nachmittags darauf angelegt war, daß die Gäste einander finden sollten, ehe sich alles um Jörg drehen würde, konnte Henner sich verabschieden. Er wußte ohnehin nicht, wie er so viele Menschen für so viele Stunden auf so engem Raum ertragen sollte.

Noch mal machte er einen großen Bogen über die Felder. Er ging langsam, schlaksig, mit ausholenden Schritten und schwingenden Armen. Er hatte seine Mutter nicht aus New York und auch seit seiner Rückkehr noch nicht angerufen und fühlte sich schuldig, obwohl er wußte, daß sie sich nicht erinnern würde, wann er sie zuletzt angerufen hatte. Er haßte das Ritual der Anrufe, bei denen seine Mutter ihn wieder und wieder aufforderte, lauter zu reden, um dann doch aufzugeben und resigniert aufzulegen, so daß am Ende nichts gesagt war. Er haßte das Ritual der Besuche, auf die sich seine Mutter freute, von denen sie aber immer enttäuscht war, weil sie seine Distanz spürte. Aber ohne seine Distanz hätte er es mit ihr und ihren Leiden, Klagen und

Vorwürfen nicht ausgehalten. Seine Hand spielte mit dem Telephon in der Jackentasche, klappte es auf und zu, auf und zu. Nein, er würde erst am Sonntag anrufen.

Kurz vor sechs kam er wieder zum Haus, diesmal von der Seite, über eine Wiese mit Obstbäumen, vorbei an einem Gartenhaus mit großem Holzstoß unter tiefem Dach. Auch an der Seite stand eine Eiche, durch einen Blitzschlag klein und krumm geraten, und hatte das Haus eine Tür. Als er unter dem Baum stand und in den Abend sah, machte Margarete die Tür auf, wischte sich die Hände an der Schürze ab, lehnte sich an den Türrahmen und sah in den Abend, wie er. Neben der Tür hing eine Glocke; gleich würde Margarete sich vom Türrahmen lösen, mit ihren kräftigen bloßen Armen den kurzen Glockenstrick greifen und die Glocke läuten. Henner wußte nicht, daß sie ihn bemerkt hatte. Bis sie ihn fragte, gerade so laut, daß er sie über die Distanz verstand, und ohne sich nach ihm umzudrehen: »Hörst du den Zwiegesang der Amseln?« Er hatte nicht auf ihn geachtet, jetzt hörte er ihn. Der Abend, die Amseln, Margarete in der Tür – Henner wußte nicht, warum, aber er war den Tränen nahe.

5

Ilse hörte die Glocke nicht. Sie saß in ihrem Zimmer, das auf der anderen Seite des Hauses lag, und schrieb. Das Zimmer war mit Feldbett, Stuhl und Tisch eingerichtet; auf dem Tisch standen Waschkrug und -schüssel, eine Kerze, ein Päckchen Streichhölzer und ein Strauß Tulpen. Es war ein Eckzimmer; Ilse konnte aus dem einen Fenster auf die Eiche und dahinter eine Scheune, aus dem anderen auf das Tor sehen.

Am Tag nach der Beerdigung kamen zwei Anwälte aus Jans Kanzlei zu Ulla nach Hause. Es war später Nachmittag, die Kinder warteten aufs Abendessen und lärmten durchs Haus. Der ältere Anwalt stellte sich als der Senior der Kanzlei vor, der jüngere als der Kollege, mit dem Jan besonders eng zusammengearbeitet habe. Ulla erkannte die beiden wieder; sie hatten ihr am Vortag kondoliert, und der jüngere hatte Jan einmal abgeholt.

»Wir haben mit der Polizei in Frankreich telephoniert. Sie hat die Akten, die Ihr Mann gerade bearbeitet hat, nicht im Auto gefunden. Erlauben Sie uns die Frage, ob die Akten vielleicht hier sind?«

»Ich werde heute abend nachsehen.«

Aber das genügte den beiden nicht. Es eile, sagte der

jüngere, aber sie müsse sich nicht bemühen, er wisse den Weg, und witschte an ihr vorbei und die Stufen hoch. Der ältere bat um Verständnis und Entschuldigung und folgte dem jüngeren in Jans Arbeitszimmer. Ulla wollte mitgehen, aber die Zwillinge stritten, und das Wasser kochte. Sie vergaß die Anwälte. Als sie mit den Kindern beim Abendessen saß, kamen sie aus Jans Arbeitszimmer. Sie hatten die Arme voller Akten, aber nein, die Akten, derentwegen sie gekommen seien, hätten sie nicht gefunden.

Am selben Abend kam der Anruf. Ulla hatte die Kinder ins Bett gebracht und saß am Küchentisch, zu erschöpft, um Schmerz oder Trauer zu empfinden. Sie wollte sich nur hinlegen, einschlafen und erst nach Wochen oder Monaten in einer neuen Normalität wieder aufwachen. Aber sie hatte nicht die Kraft aufzustehen, die Treppe hoch-, ins Schlafzimmer und ins Bett zu gehen. Sie nahm das Telephon auch nur ab, weil es so an der Wand hing, daß sie den Hörer abnehmen konnte, ohne aufzustehen. »Hallo?«

Niemand meldete sich. Dann hörte sie den Anrufer atmen, und es war sein Atem. Sie kannte ihn genau, und sie liebte ihn, liebte die Pausen in ihren Telephongesprächen, in denen er ihr mit seinem Atem wortlos nah war. »Jan«, sagte sie, »Jan, sag was, wo bist du, was ist los?« Aber er redete nicht, und als sie nach angstvollem Warten noch mal »Jan!« sagte, legte er auf.

Sie saß wie betäubt. Sie war sicher, daß sie sich nicht geirrt hatte. Sie war sicher, daß sie sich geirrt haben mußte. Sie hatte Jan im Sarg liegen sehen. Jan.

Zwei Tage später fand sie in der Post den Obduktions-

bericht. Name, Geschlecht, Geburtsdatum und -ort, Körpermaße und -merkmale – Schwierigkeiten hatte sie mit dem französischen Text erst, als die Schnitte und Befunde beschrieben wurden. Sie holte das Wörterbuch und machte sich an die Arbeit, auch wenn ihr jeder Schnitt, von dem sie las, weh tat. Als sie fertig war, las sie den ganzen Text noch mal durch. Erst jetzt fielen ihr das Sweatshirt und die Jeans auf, in denen Jan vor dem Arzt auf dem Tisch gelegen hatte. Er war damals mit dem Anzug in die Kanzlei gefahren. Und mit dem Anzug, so hatte die Polizei in ihrem Bericht geschrieben, war er auch in seinem Auto gefunden worden.

Sie ging zu ihrem gemeinsamen Kleiderschrank. Sie kannte seine Kleider, auch seine Jeans, seine T- und Sweatshirts. Nichts fehlte – als wenn es darauf ankäme. Sie rief beim Beerdigungsunternehmen an. Ein bißchen verwundert erklärte man ihr, ihr Mann habe, als er aus Frankreich überführt wurde, einen verkrumpelten grauen Anzug angehabt. Man habe sie gefragt, ob sie ihn haben wolle, erinnere sie sich nicht?

Am selben Abend, als die Kinder schliefen, rief Ulla Ilse an. Sie halte es alleine nicht mehr aus. Ilse kam pflichtschuldig. Sie und Ulla waren keine engen Freundinnen. Aber wenn Ulla so einsam und verzweifelt war, bei ihr Trost zu suchen, dann wollte Ilse geben, was sie geben konnte.

Ulla wollte keinen Trost. Sie hatte einen Panzer um ihren Schmerz gelegt. Sie wollte kämpfen. Sie war sicher, daß ein faules Spiel gespielt wurde, und sie war nicht bereit, es hinzunehmen. Wer steckte dahinter? Was hat-

ten sie mit Jan gemacht? Hatten sie ihn entführt? Entführt und ermordet?

Ilse legte Heft und Stift weg und sah aus dem Fenster. Wie im Taumel waren Ulla und sie damals gewesen. Was sie alles versucht hatten! Die Suche nach dem Mandanten, mit dem Jan in den letzten Wochen viel zu tun gehabt und über den er gelegentlich düstere Andeutungen gemacht hatte. Die Beschattung der Kanzlei, die wegen der Akten nicht lockerließ. Die Reise in die Normandie. Keine Hypothese war zu abwegig, keine Spekulation zu verstiegen. Bis sich nach einem Jahr der Taumel erschöpft hatte und mit ihm auch ihre Freundschaft. Ulla war gekränkt, weil Ilse nicht mit ihr daran glaubte, daß Jan in einem faulen Spiel seiner Kanzlei oder eines Mandanten in den Tod getrieben oder entführt und ermordet worden war, sondern darauf bestand, er habe seinen Tod nur vorgegaukelt und lebe ein neues Leben. Sie trafen sich noch, riefen sich noch an, aber die Abstände zwischen den Treffen und Anrufen wurden größer, und schließlich war jede erleichtert, daß die andere sich nicht mehr meldete.

Ilse verstand, warum Ulla sich in den Taumel gestürzt hatte. Er ließ sie das dunkle Wasser der Trauer mit schnellem Segel überqueren; als der Taumel vorbei war, war sie über Jans Tod hinweg. Aber warum hatte der Taumel auch sie erfaßt? War es Sehnsucht nach Gemeinsamkeit, die sich im Tun mit Ulla erfüllte? Aber warum teilte sie dann nicht auch Ullas Überzeugung vom Selbstmord- oder vom Entführungs- und Mordkomplott? War es Lust am Abenteuer? War es Größenwahn? Es gab damals Momente, in denen sie wirklich meinte, einer großen Sache auf der Spur zu sein. Was immer sie in den Taumel gezogen hatte – wo war es? Steckte etwas in ihr, was sie seitdem unterdrückt hatte? Was eigentlich hätte gelebt werden wollen und es vielleicht noch immer wollte?

Als Ilse schließlich das wiederholte Läuten der Glocke hörte, war es sieben und höchste Zeit. Im Zimmer hing kein Spiegel, Ilse machte das Fenster auf und suchte ihr Bild in der Scheibe. Sie verzichtete auf den Versuch, Haar oder Gesicht zu verschönen; sie sah sich zu undeutlich und war ohnehin nicht gut mit Kamm, Wimperntusche und Lippenstift. Aber sie wandte den Blick nicht von sich. Sie hatte Mitleid mit dieser Frau, die sie selbst war, immer zu gehemmt, um da, wo sie war, ganz anwesend zu sein. Außer zu Hause – sie hatte Heimweh, auch wenn sie sich für die Dürftigkeit ihres häuslichen Glücks mit Katzen und Büchern ein bißchen schämte. Sie lächelte sich kläglich an. Die Abendluft war kühl, sie atmete tief ein und aus. Sie nahm alle Kraft zusammen und ging hinunter zu den anderen.

6

Christiane hatte eine Tischordnung gemacht, und vor jedem Teller stand ein Kärtchen mit Namen und Bild – einem Bild von damals. Mit großem Hallo wurden die Bilder herumgereicht und bestaunt. »Guck mal!« – »Der Bart!« – »Die Frisur!« – »So sah ich damals aus?« – »Du hast dich aber verändert!« – »Woher hast du die Bilder?«

Ilse hatte außer Margarete und Henner noch keinen begrüßt und machte die Runde. Jörg kam ihr so verlegen vor, wie sie selbst sich fühlte. Als er ihre Umarmung nicht erwiderte, dachte sie zuerst, es liege an ihr. Dann sagte sie sich, daß er im Gefängnis die Entwicklung der Umgangsformen verpaßt und das begrüßende Umarmen nicht gelernt hatte.

Sein Platz war an einer Breitseite des Tischs zwischen Christiane und Margarete. Ihm gegenüber saß Karin, flankiert von Andreas und Ulrich. Neben Andreas und Margarete saßen Ulrichs Frau und Karins Mann einander gegenüber, neben Ulrich und Christiane Ilse und Henner. An der einen Schmalseite saß Ulrichs Tochter zwischen Ilse und Henner, an der anderen war für Marko Hahn gedeckt, der erst später kommen konnte. Karin schlug mit der Gabel ans Glas, sagte: »Laßt uns beten«, wartete, bis alle ihre Verblüffung überwunden hatten und still waren, und betete. »Herr, bleibe bei uns, denn es will Abend werden, und der Tag hat sich geneigt.«

Henner sah um sich; alle bis auf Jörg und Andreas hatten den Kopf gesenkt, manche auch die Augen geschlossen. Jörgs Lippen bewegten sich, als rede er mit oder spreche sein eigenes, säkulares, revolutionäres Tischgebet.

»›Denn es will Abend werden‹ – soll das heißen, daß die Christen Gott nachts mehr brauchen als tags? Mir geht es anders, ich brauche tags eher Hilfe als nachts.« Andreas fragte, kaum war Karin fertig, mit spöttischem Interesse. Der Spott paßte zu ihm, zu seiner Hagerkeit, zur Eckigkeit seiner Bewegungen, zum kahlen Schädel und kalten Blick. »Und warum ›und der Tag hat sich geneigt‹? Ist, daß es Abend werden will und daß der Tag sich geneigt hat, nicht ein und dasselbe?«

»So sind sie, die Juristen, drehen und wenden dir die Worte im Mund herum.« Ulrich lachte. »Aber ehrlich, Karin, wird es dir nie zuviel? Singen, beten, predigen, über alles und jedes was Frommes und Kluges sagen? Ich weiß, es ist dein Beruf – auch mein Beruf wird mir manchmal zuviel.«

»Dein erstes Essen in Freiheit – was sagst du?« Christiane stieß Jörg freundschaftlich mit dem Ellbogen an.

»Dein erstes Essen in Freiheit — ein Essen mit Tischgebet.« Andreas ließ nicht locker. »Was sagst du dazu?«

»Es ist nicht mein erstes Essen in Freiheit. Wir haben heute morgen an der Autobahn und heute mittag in Berlin gegessen.«

»Deshalb sind wir erst heute abend gekommen«, erklärte Christiane. »Ich dachte, Jörg sollte ein bißchen Stadtluft schnuppern. Die Entlassung kam so überraschend, daß sie das übliche Programm nicht fahren konnten. Sie haben ihn vorgestern ein bißchen rausgeführt – das war's. Kein regelmäßiger Freigang, kein offener Vollzug. Aber nehmt euch doch, worauf wartet ihr?« Sie schob die Schüssel mit Kartoffelsalat zu Karin und die mit den Bratwürsten zu Andreas.

»Danke.« Karin nahm die Schüssel. »Ich will die Antwort nicht schuldig bleiben. Die Hetze wird mir oft zuviel, nicht nur weil ich eigentlich langsam bin. In der Hetze kommen Singen, Beten und Predigen nicht mehr wirklich aus dem Herzen, sondern werden zum Job, den ich erledigen muß. Das wird Gott nicht gerecht und tut mir nicht gut.«

»Das nenne ich eine gute Antwort.« Ulrich nickte und tat sich Kartoffelsalat auf den Teller. Als er die Schüssel zu Ilse schob, wandte er sich zu Jörg. »Dich muß ich gar nicht erst fragen.«

Irritiert sah Jörg Ulrich an, dann Christiane, dann wieder Ulrich. »Was...«

»Ob es dir manchmal zuviel geworden ist. Was war eigentlich das Schlimmste im Gefängnis? Daß du gerade keine Hetze hattest, sondern zu viel Zeit und zu wenig zu tun? Daß du immer am selben Fleck warst? Die anderen Insassen? Das Essen? Kein Alkohol? Keine Frauen? Eine Einzelzelle hast du gehabt, habe ich mal gelesen, und arbeiten hast du nicht müssen – das ist die halbe Miete, stimmt's?«

Jörg rang um eine Antwort und fing schon einmal an, mit den Händen zu reden. Christiane intervenierte. »Ich finde nicht, daß das Fragen sind, die gerade jetzt gestellt gehören. Laß ihn ankommen, ehe du ihn ausfragst.«

»Christiane, die ewige große Schwester. Weißt du, was

das erste war, woran ich mich erinnert habe, als deine Einladung kam? Wie ich euch vor mehr als dreißig Jahren kennengelernt habe, du immer an seiner Seite, immer mit einem Auge auf das, was er gerade macht. Zuerst dachte ich, ihr seid ein Paar, bis ich verstanden habe, daß du die große Schwester bist, die auf den kleinen Bruder aufpaßt. Laß ihn mal. Karin hat uns erzählt, wie's ihr als Bischöfin geht, ich erzähle euch gerne, wie mein Leben mit den Labors läuft, wenn ihr's hören mögt, und er kann uns von seinem Leben im Gefängnis erzählen.«

Ilse und Henner sahen einander an. Ulrich schlug einen leichten Ton an. Aber in seinen wie auch in Christianes Äußerungen lag eine Schärfe, als führten beide einen verhaltenen Kampf. Worum kämpften sie?

»Von der Isolationsfolter wirst du nichts hören wollen, davon wollt ihr alle nichts hören. Und vom Schlafentzug und der Zwangsernährung und den Rollkommandos und der Bunkerzelle. Danach, als ich den Kampf um normale Haftbedingungen gewonnen hatte« – Jörg lachte auf –, »also als die Haftbedingungen normal waren ... Der Lärm war schlimm. Du denkst vielleicht, im Gefängnis ist es still, aber es ist laut. Bei jeder Aktivität müssen Eisentüren auf- und zugemacht und Eisengänge und Eisentreppen begangen werden. Tags schreien die Leute einander an, und nachts schreien sie im Schlaf. Dazu gibt's das Radio und die Glotze, und einer klappert auf der Schreibmaschine, und einer donnert seine Hanteln gegen die Tür.« Jörg redete langsam, stockend und mit den zufälligen, fahrigen Handbewegungen, die Christiane schon am Morgen erschreckt hatten und wieder erschreckten. »Was das Schlimmste ist, willst du wissen? Daß das Leben anderswo ist. Daß du von ihm abgeschnitten bist und verfaulst, und je länger du auf danach wartest, desto weniger ist danach noch wert.«

»Hast du eigentlich damit gerechnet, ins Gefängnis zu müssen? Ich meine, hast du damit gerechnet wie der Angestellte mit der Entlassung oder der Arzt mit einer Ansteckung? Berufsrisiko? Oder hast du gedacht, daß du immer weitermachst und als Terrorist in Ruhestand gehst, aufs Altenteil, wo dich dann die jungen Terroristen versorgen? Hast du ...«

»Hat eigentlich jeder was in seinem Glas?« Eberhard hatte eine kräftige Stimme, mit der er Ulrich mühelos übertönte. »Ich bin der Älteste hier am Tisch, und zu Ruhestand und Altenteil sollten Sie mich fragen. Jörg ist noch jung, und ich hebe das Glas auf die vielen tätigen, erfüllten Jahre in Freiheit, die er vor sich hat. Auf Jörg!«

»Auf Jörg!«

Als alle die Gläser abgesetzt hatten, dauerte es einen Moment, bis wieder geredet wurde. Karins Mann machte zu Ulrichs Frau lächelnd eine Bemerkung über ihren hartnäckigen Mann, Andreas entschuldigte sich ironisch bei Karin, er habe das Gebet schon verstanden, es habe ihn nur der Teufel geritten. Christiane flüsterte Jörg zu: »Rede mit Margarete!«, und Ilse und Henner fragten Ulrichs Tochter nach Schulabschluß und Berufsplänen.

Ulrich ließ nicht locker. »Ihr tut, als hätte Jörg einen Aussatz, über den man nicht reden darf. Warum soll ich ihn nicht zu seinem Leben fragen? Er hat es sich ausgesucht – genauso wie ihr eures und ich meines. Eigentlich finde ich euch überheblich.«

Jörg setzte nochmals an, wieder langsam, wieder stokkend. »Also… ich habe nicht an das Alter gedacht. Ich habe nicht weiter gedacht als bis zum Ende der Aktion oder vielleicht noch bis zur nächsten. Mich hat mal ein Journalist gefragt, ob das Leben in der Illegalität schlimm war, und er hat nicht verstanden, daß es nicht schlimm war. Ich glaube, jedes Leben, das du jetzt lebst und bei dem du nicht in Gedanken anderswo bist, ist gut.«

Ulrich schaute sich triumphierend um. Beinahe hätte er »Na bitte!« gesagt. Eine Weile ließ er die einzelnen Gespräche laufen. Ilse, die sich zu erinnern glaubte, woher sie die Bilder auf den Tischkarten kannte, fragte Christiane. Ja, sie hatte sie aus einer Aufnahme ausgeschnitten, die bei Jans Beerdigung gemacht worden war. Ilse fragte Jörg, ob er sich an Jan erinnere, und wurde durch die Antwort »Er ist der Beste« verwirrt. Ulrichs Tochter fragte Henner leise, ob er denke, Jörg sei im Gefängnis homosexuell geworden, und Henner antwortete ebenso leise, er habe keine Ahnung, wisse aber, daß es in Internaten, Lagern und Gefängnissen eine Gelegenheitshomosexualität gebe, die sich danach wieder verliere. Christiane flüsterte Jörg zu, der schweigend aß: »Frag Margarete, wie sie das Haus gefunden hat!«

Aber Ulrich kam ihm zuvor. »Ihr erinnert euch sicher noch an den ersten Fall und die erste Predigt«, er nickte Andreas und Karin zu, »Ilse an die erste Unterrichtsstunde und Henner an den ersten Artikel. Ich werde nie meine erste Brücke vergessen; ich habe in keine spätere Arbeit so viel Zeit und Liebe gesteckt und an ihr was fürs Leben gelernt. Wie war das mit dem ersten Mord, Jörg? Hast du an ihm…«

»Hör auf, Ulrich, hör bitte auf!« brach es aus seiner Frau heraus.

Resigniert hob Ulrich die Arme und ließ sie wieder sinken. »Okay, okay. Wenn ihr meint...«

Henner merkte, daß er nicht wußte, was er meinen sollte, und als er in die Runde sah, las er in den Gesichtern anderer, daß sie's auch nicht wußten. Er bewunderte Ulrich, der so geradlinig, so geradeheraus war. Jörgs Leben war Jörgs Leben, wie ihr Leben ihr Leben war – vielleicht hatte Ulrich recht. Jedenfalls konnte er interessiert und engagiert mit Jörg reden. Er, Henner, brachte nur Belanglosigkeiten zustande.

Nach dem Nachtisch stand Jörg auf. »Seit Jahren, ach was, seit mehr als zwei Jahrzehnten habe ich keinen so langen und vollen Tag gehabt. Nehmt mir nicht übel, daß ich ins Bett gehe. Wir sehen uns morgen zum Frühstück – vielen Dank, daß ihr alle gekommen seid, und schlaft gut.« Er machte die Runde und gab jedem die Hand. Zu dem erstaunten Henner sagte er: »Ich finde mutig, daß du gekommen bist.«

Als er das Zimmer verließ, wollte Christiane aufstehen und mitgehen. Unter Ulrichs spöttischem Blick ließ sie es bleiben.

7

Andreas war aufgestanden, als Jörg sich von ihm verabschiedet hatte, und stehen geblieben. »Ich glaube, ich sollte...«

»Bitte keinen allgemeinen Aufbruch!« Christiane sprang auf und winkte mit den Händen, als wolle sie Andreas wieder auf den Stuhl drücken und die anderen auf den Stühlen festhalten. »Es ist zehn, viel zu früh fürs Bett. Andreas, ich freue mich so, daß du endlich die alten Freunde kennenlernst und sie dich – ich bin sicher, daß du einen harten Tag hinter dir hast, aber bleib noch.«

Als sei sie ein Offizier, dessen Soldaten desertieren wollen, dachte Henner. Warum die Angst, wir würden ihr entgleiten?

Ingeborg haderte weiter mit ihrem Mann. »So kannst du nicht mit Jörg reden! Siehst du nicht, daß er fertig ist? Er kommt nach nochwaszwanzig Jahren aus dem Gefängnis, und statt daß du ihn zu sich kommen läßt, machst du ihn fertig.« Sie sah sich um, als erwarte sie Zustimmung.

Karin versuchte zu versöhnen. »Fertigmachen – so habe ich Ulrich nicht verstanden. Aber ich glaube auch, im Moment sollten wir Jörg mit der Vergangenheit in Ruhe lassen und ihm Mut zur Zukunft machen. Christiane, was hat er vor?«

Ulrich ließ Christiane nicht antworten. »In Ruhe lassen? Wenn er in den letzten Jahren was im Überfluß gehabt hat, dann doch wohl Ruhe. Er ist Mitte oder Ende 50, wie wir alle, und sein Leben war... Wie wollt ihr's nennen? Banken überfallen und Leute umbringen, Terrorismus, Revolution und Gefängnis – das war das Leben, das er sich ausgesucht hat. Ich soll ihn nicht fragen dürfen, wie es war? Dafür sind Treffen alter Freunde da – man redet über die alten Zeiten und erzählt sich, was man seitdem gemacht hat.«

»Du weißt genauso gut wie ich, daß das kein normales Treffen alter Freunde ist. Wir sind da, um Jörg zu helfen, sich im Leben einzurichten. Und um ihm zu zeigen, daß das Leben und die Menschen ihn gerne wieder bei sich haben.«

»Karin, bei dir gehört's zum Beruf. Ich bin nicht auf einer therapeutischen Mission. Ich will Jörg gerne einen Job geben. Ich will ihm auch helfen, anderswo einen zu finden. Das würde ich für alle alten Freunde tun, also auch für Jörg. Daß er vier Leute umgebracht hat... Wenn's kein Grund ist, die Freundschaft aufzukündigen, dann ist's aber auch keiner, ihn als Sensibelchen zu betütern.«

»Therapeutische Mission? Ich glaube, ich erinnere mich einfach ein bißchen besser als du. Keine Gewalt gegen Personen, und wenn doch, dann keine harten Wurfgeschosse, sondern nur weiche, Tomaten und Eier, aber im Befreiungskampf der Völker gegen Imperialismus und Kolonialismus natürlich auch Gewehre und Bomben, und wir, in den Metropolen des Imperialismus und Kapitalismus, schulden dem Befreiungskampf unsere Solidarität, und Solidarität bedeutet, den Kampf mitkämpfen – hast du vergessen, daß wir alle so geredet haben? Nicht nur Jörg, auch sie«, Karin zeigte in die Runde, »und auch du. Ja, bei dir sind es Worte geblieben – du mußt mir den Unterschied zwischen Reden und Schießen nicht erklären. Aber wären es bei dir Worte geblieben, wenn du ohne Mutter aufgewachsen wärst? Wenn du dich mit anderen Menschen so schwertätest wie Jörg? Wenn es dir nicht gegeben wäre, das Leben so entschlossen und tüchtig anzupacken?«

»Die Terroristen unsere verirrten Brüder und Schwestern?« Ulrich schüttelte den Kopf und verzog das Gesicht zu einem Ausdruck nicht nur der Ablehnung, sondern der Abscheu. »Glaubt ihr das auch?« Er sah in die Runde.

Ilse brach das Schweigen. »Ich habe damals nicht vom Kampf geredet. Ich habe überhaupt nicht geredet. Ich habe mit den Mädchen Kaffee gekocht und Matrizen geschrieben und Flugblätter abgezogen. Du nicht, Karin, und du, Christiane, auch nicht – ich habe euch dafür bewundert und beneidet. Jörg und die anderen, die gekämpft haben, habe ich erst recht bewundert. Ja, der Kampf war Unsinn. Aber alles war damals Unsinn. Der kalte Krieg und die Geheimdienste und das Wettrüsten und die heißen Kriege in Asien und Afrika – wenn ich daran zurückdenke, kommt es mir verrückt vor.« Sie lachte. »Nicht daß es besser geworden wäre. Die Anschläge und Aufstände und Kriege seitdem – ich kann nur denken, daß, wer das macht, verrückt sein muß. Jörg hat es hinter sich. Ist das nicht, was zählt?«

»Ich weiß, Karin, du meinst es gut. Aber es stimmt nicht, daß Jörg ohne Liebe...«

Christiane redete nicht weiter und horchte. Über den Kies kamen Schritte, jemand öffnete die Haustür, ging durch die Halle, öffnete die Tür zum Salon. »Ich sah das Licht unter der Tür und dachte mir... Ich bin Marko.«

Christiane stand auf, begrüßte ihn, stellte ihn den Freunden und die Freunde ihm vor und verschwand in der Küche, um für ihn Würstchen zu braten. Das alles machte sie rasch, distanziert, geschäftsmäßig. Die Freunde, die nach der Vorstellung den Namen Marko Hahn kannten, aber weder wußten, wer er war, noch was Jörg und ihn verband, waren ein bißchen irritiert; zugleich waren sie über die Unterbrechung froh. Sie standen auf, machten Tür und Fenster zum Garten auf, räumten ab, leerten die Aschenbecher, holten neue Wasser- und Weinflaschen, erneuerten die Kerzen. »Kalt ist der Abendhauch«, zitierte Karins Mann, und Margarete trat in die Tür und sagte nach einem Blick zum Himmel und in die windgebeugten Baumwipfel ein Gewitter voraus. Ilse trat neben sie und legte den Arm um sie, sie wußte selbst nicht, warum. Margarete lachte ein warmes Lachen, legte den Arm um Ilse und zog sie an sich.

Plötzlich fiel Andreas ein, wer Marko war. »Sie haben genug Unheil angerichtet. Wenn über die Tage hier ein Wort an die Presse geht, kriegen Sie von mir eine Klage an den Hals, von der Sie sich nicht mehr erholen.« Er hatte sich in Fahrt geredet, ließ Marko, der erwidern wollte, stehen und wandte sich an den verdutzten Henner. »Ich weiß, daß Sie was können. Aber was die Tage hier angeht, gilt auch für Sie: kein Wort in der Presse. Wenn Sie über Jörgs erste Tage in Freiheit und was er macht und sagt, schreiben, kriegen Sie mit mir Ärger, der sich gewaschen hat.«

»Sie haben recht«, sagte Eberhard zu Margarete. »Das Wetter schlägt um.«

Marko packte Andreas am Arm. »Wir werden nicht zulassen, daß du und seine Schwester ihn einsperren. Dafür ist er nicht aus dem Gefängnis raus. Dafür hat er nicht durchgehalten. Der Kampf geht weiter, und Jörg wird den Platz einnehmen, der ihm zusteht. Wir haben lange genug auf ihn gewartet.«

»Fassen Sie mich nicht an!« Als Andreas es wiederholte, schrie er es: »Fassen Sie mich nicht an!«

»Helft ihr mir, die Gartenmöbel reinzuholen, ehe es zu regnen anfängt?« Wieder versuchte Karin, Frieden zu stiften. Aber obwohl die beiden mitgingen, Tisch und Stühle zusammenfalteten und ins Haus trugen, ließen sie nicht lokker. Andreas redete von der Begnadigung und ihren Auflagen und der Gefährdung der Bewährung, Marko vom Kampf, der gekämpft und gewonnen werden müsse und der Jörgs Leben sei. Schließlich schickte Karin Andreas in die eine und Marko in die andere Richtung, in der sie im Park nach Liegestühlen suchen sollten.

Dann fielen die ersten Tropfen. Karin sah suchend nach den beiden Streithähnen, sagte sich dann, daß sie den Weg zum Haus auch ohne sie fänden, und ging hinein. Sie wäre gerne mit ihrem Mann ins Bett gegangen, hätte gerne den Kopf in seine Armbeuge und den Arm über seine Brust gelegt, das Fenster geöffnet und dem Rauschen des Regens zugehört. Aber sie konnte vor ihrer Mission, zu befrieden und zu versöhnen und zu heilen, nicht weglaufen. Ulrich hat recht mit dem, was er über meine Mission gesagt hat, dachte sie, und sie dachte an Christiane, die schon als Kind eine noch größere Mission übernommen hatte. Neun war sie gewesen, als ihre und Jörgs Mutter starb, und sie hatte versucht, dem drei Jahre jüngeren Bruder liebend und strafend, tröstend und lenkend, ermunternd und ermahnend die Mutter zu ersetzen. Karin ärgerte sich, daß sie die Bemerkung über Jörgs Aufwachsen ohne Mutter gemacht hatte; sie hatte Christiane verletzt. Sie würde sie um Entschuldigung bitten und damit vielleicht auch aus ihrer Angespanntheit in ein Gespräch locken.

Dann hörte sie, dann hörten alle den Schrei.

8

Ulrich und seine Frau wußten sofort, daß ihre Tochter geschrien hatte. Sie sahen sich suchend um – woher war der Schrei gekommen? Angesichts der ratlosen Eltern fiel auch den anderen auf, daß sie die Tochter länger nicht mehr gesehen hatten. »Wann ist sie gegangen?« – »Wo kam der Schrei her?« – »Aus dem Park?« – »Aus dem Haus?«

Dann hörten alle das Zetern in der Eingangshalle. Ulrich riß die Tür auf, seine Frau und die anderen folgten ihm. Auf der Galerie standen die Tochter, nackt, und Jörg im weißen Nachthemd.

»Du Schlappschwanz. Ficken ist Kämpfen – war das nicht euer Motto? Kämpfen ist Ficken? Was guckst du mir ständig auf den Busen, wenn du's nicht bringst? Du bist kein Mann. Du bist ein Witz. Wahrscheinlich bist du auch als Terrorist ein Witz, und sie haben dich eingesperrt, damit du den Frauen nicht ständig auf den Busen schaust. Du bist ein Spanner. Du bist ein Witz und ein Spanner.« Sie legte so viel Ablehnung, Verachtung, Ekel in ihre Stimme, wie sie konnte. Aber sie klang mehr verzweifelt als angeekelt, und dann fing sie an zu weinen.

»Ich hab Ihnen nicht auf den Busen gesehen. Ich will nichts von Ihnen. Lassen Sie mich in Ruhe, bitte, lassen Sie mich in Ruhe.«

Was für ein Bild, dachte Henner. Die Halle war von Kerzen nur schwach erleuchtet, an den Wänden zuckten Schatten, die Gesichter Dorles und Jörgs waren nicht deutlich zu sehen, um so präsenter waren ihre Nacktheit und sein Nachthemd. Beide sagten nichts mehr, waren einander noch zugewandt, aber voller Abwehr. Es war eine rätselhafte, lächerliche, wortlose Szene auf einer Bühne, nach der alle den Kopf reckten.

Christiane fuhr Ulrich an. »Schaff ihm deine Tochter vom Hals!«

»Spiel dich nicht so auf!« Aber er ging die Treppe hinauf, zog dabei die Jacke aus, legte sie seiner Tochter um die Schultern und führte sie zu der Tür am einen Ende der Galerie.

Jörg sah um sich, als erwache er aus einem Traum, sah dem Mann in Hemdsärmeln und der nackten jungen Frau mit der übergeworfenen Herrenjacke nach, als wisse er nicht, wer sie sind, sah hinunter in die Eingangshalle und in die verlegenen Gesichter der Gäste, sagte nichts, schüttelte langsam den Kopf und ging mit dem schleppenden Gang, der Christiane schon am Morgen aufgefallen war, zu der Tür am anderen Ende der Galerie. Die Bühne war leer.

Christiane und Ingeborg sahen aus, als wollten sie hochrennen und nach Bruder und Tochter sehen. Karin hatte das Gefühl, dadurch werde alles noch heilloser, legte die Arme um die beiden und führte sie zurück an den Tisch. »Es ist alles ein bißchen viel heute abend. Für alle und erst recht für Jörg und für unsere Jüngste. Morgen sieht's schon besser aus.«

»Wir fahren noch heute nacht.«

»Laß sie ausschlafen. Vielleicht will sie gar nicht fahren. Vielleicht will sie es nicht so stehenlassen, sondern irgendwie in Ordnung bringen. Sie ist ein starkes Mädchen.«

Marko fand sie vor allem ein scharfes Mädchen und stieß Andreas mit dem Ellbogen in die Seite. »Was ist mit Jörg los? Warum stößt er sie von der Bettkante? Will er ein Muslim und Märtyrer werden – auf der Erde Kampf und Gebet und Frauen erst im Himmel, Jungfrauen ohne Ende?« Er schüttelte den Kopf. »Er hat doch nie...«

Andreas wandte sich wortlos ab. Aber als er die Treppe hinaufsteigen wollte, kam ihm Jörg entgegen. Er hatte sein Nachthemd aus- und Jeans und Hemd wieder angezogen. »Das war eine unschöne Situation, und ich möchte nicht, daß der Abend mit ihr endet.« Es kostete ihn große Anstrengung, Andreas anzuschauen; immer wieder schweiften seine Augen ab, und immer wieder zwang er sie zum Blick in Andreas' Augen zurück. Dann ging er zu Henner und Karins Mann, die im Gespräch standen, und wiederholte den Satz. Andreas war ihm gefolgt, auch Marko war dazugetreten und hatte den Satz gehört, und nun standen sie ihm gegenüber und warteten auf eine Fortsetzung. Als sie merkten, daß er nur den einen Satz vorbereitet hatte, merkte er, daß der eine Satz nicht reichte. »Ich bin... ich habe eine schlechte Figur gemacht, ich weiß. Christiane hat mir für meine erste Nacht in Freiheit ein Nachthemd nähen lassen, weil ich gerne Nachthemden trage und sie nicht mehr zu kaufen sind, und ich habe es angezogen. Ich habe nicht geahnt, daß ihr alle mich darin sehen würdet.« Er merkte, daß auch das noch nicht reichte. »Ich und sie... wir hatten ein Mißverständnis, nur ein Mißverständnis.« Jetzt war's gut.

Er hatte bedauert, was passiert war, er hatte anerkannt, daß er keine gute Figur gemacht hatte, er hatte bekannt, daß sie sich mißverstanden hatten – er hatte seine Schuldigkeit getan, und die anderen sollten ihn in Ruhe lassen. Er schaute alle an. »Ich trinke noch ein Glas Rotwein.«

9

Ulrich saß am Bett seiner Tochter. Sie hatte die Decke bis zum Kinn hochgezogen und den Kopf abgewandt. Ulrich sah sie nicht weinen, er hörte es nur. Er legte die Hand auf die Decke, fühlte ihre Schulter und versuchte, seiner Hand eine tröstende, beruhigende Schwere zu geben. Als die Tränen versiegten, wartete er eine Weile und sagte dann: »Du mußt dich nicht erniedrigt fühlen. Er ist einfach der Falsche.«

Sie wandte ihm ihr tränennasses Gesicht zu. »Er hat mich geschlagen, nicht fest, aber geschlagen. Deshalb habe ich geschrien.«

»Du warst zuviel für ihn. Er wollte dich nicht verletzen, er wollte dich nur loswerden.«

»Aber warum? Ich hätte ihm gutgetan.«

Er nickte. Ja, seine Tochter hatte gedacht, sie würde Jörg guttun. Nicht daß das ihr Ziel gewesen wäre; sie hatte sich ihm nicht an den Hals geworfen, um ihm gutzutun. Oder weil sie sich plötzlich in ihn verliebt hätte. Sie hatte mit dem berühmten Terroristen schlafen wollen, um sagen zu können, daß sie mit dem berühmten Terroristen geschlafen hatte. Aber sie hätte es nicht tun wollen, wenn sie sich nicht gesagt hätte, daß sie ihm damit auch guttäte nach all den Jahren im Gefängnis.

Er erinnerte sich daran, wie er berühmte Männer gesammelt hatte. Mit Dutschke hatte er angefangen. Er war noch ein Schüler, schwänzte die Schule, fuhr nach Berlin und ließ nicht locker, bis er Dutschke getroffen und ein paar Worte über den Kampf in den Schulen mit ihm gewechselt hatte. Die anderen dachten, er sei besonders links, und er ließ sich das gefallen und fiel manchmal selbst darauf rein. Aber eigentlich wußte er, daß er sie nur persönlich erlebt haben wollte: Dutschke, Marcuse, Habermas, Mitscherlich und schließlich Sartre. Darauf war er besonders stolz; wieder fuhr er einfach los, diesmal nicht mit dem Zug, sondern mit dem Auto, und wartete zwei Tage vor Sartres Wohnung, bis er ihn am dritten ansprechen und mit ihm ein paar Minuten im Cafe sitzen und Espresso trinken konnte. Dann kam eine Frau an den Tisch, und er ging – er ärgerte sich immer noch, daß er Simone de Beauvoir nicht erkannt und sich nicht beiden mit einer charmanten Bemerkung als Tischgast empfohlen hatte. Sein Französisch war damals gut.

Was doch alles in den Genen steckt, wunderte er sich. Er hatte seiner Tochter nie von seinem Sammeleifer erzählt, also konnte sie ihm ihren Sammeleifer nicht abgeschaut, sondern ihn nur von ihm geerbt haben. Ihm fiel ein, wie er sie vor ein paar Jahren neue Schnürsenkel in ihre Turnschuhe einfädeln sah, immer über Kreuz, am linken Schuh den nach rechts führenden Schnürsenkel über dem nach links führenden und am rechten Schuh den nach links führenden über dem nach rechts führenden, so daß sie am Ende spiegelbildlich eingefädelt waren. Auch das machte er genauso und hatte er ihr nie vor- oder auch nur in ihrer Anwesenheit gemacht.

»Machst du bitte das Fenster auf, Papa?«

Er stand auf, öffnete beide Fensterflügel, ließ die kühle, feuchte Luft und das Rauschen des Regens ins Zimmer und setzte sich wieder ans Bett.

Seine Tochter sah ihn an, als wolle sie seinem Gesicht die Antwort auf die Frage ablesen, die sie noch gar nicht gestellt hatte. Dann gab sie sich einen Ruck. »Können wir gleich morgen früh fahren? Bevor ich einem von den anderen begegnen muß?«

»Laß uns sehen, wie's uns morgen früh geht.«

»Aber wenn ich den anderen nicht begegnen will, muß ich nicht – versprochen?«

Wann hatte er ihr das letzte Mal eine Bitte abgeschlagen? Er konnte sich nicht erinnern. Aber er konnte sich auch nicht an eine Bitte erinnern, die darauf gezielt hätte zu fliehen. Sie hatte immer etwas haben wollen, ein Kleid, ein Schmuckstück, ein Pferd, eine Reise, und er hatte die Bitten als Ausdruck von Lebenshunger verstanden: Sie kann vom Leben und allem, was es bietet, nicht genug kriegen. Lebenshunger, Lebensmut – gehört beides nicht zusammen? Hatte seine Tochter nicht immer die Herausforderung gesucht? Er hatte ihr gerne das Pferd geschenkt, weil sie mit sieben eine kühne Reiterin war, und die Reise mit ihrer Freundin nach Amerika, weil die beiden mit sechzehn das Land im Greyhound erkunden wollten.

»Ich habe dich immer für deinen Mut bewundert.« Er lachte. »Du bist ein verwöhntes Gör, ich weiß, aber kein Feigling.«

Sie hörte ihn nicht mehr. Sie war eingeschlafen. Kein Schmollmund mehr; ihr Gesicht hatte einen lieblichen, friedlichen, kindlichen Ausdruck. Mein Engel, dachte Ulrich. Mein Engel mit den blonden Locken und den vollen Lippen und den hohen Brüsten. Ulrich hatte die Väter, die von ihren Töchtern vor der Pubertät sexuell angezogen werden, nie verstanden und auch nicht Humbert Humbert, der in Lolita nicht das Weib liebt, sondern das Kind. Aber er fühlte mit den Vätern und Lehrern, die von der Weiblichkeit ihrer Töchter oder Schülerinnen überwältigt waren. Nein, er fühlte nicht nur mit ihnen, er war einer von ihnen. Immer wieder kostete es ihn alle Kraft, seiner Tochter, wenn sie mit ihm redete, tatsächlich zuzuhören und nicht auf die Lippen zu sehen, ihr nicht auf den hüpfenden Busen zu starren, wenn sie die Treppe hinunterkam, und nicht auf den Po, wenn sie vor ihm die Treppe hinaufstieg. Und im Sommer, wenn ihre Blusen und Hemden den Brustansatz frei ließen und ihr Gang ihre Brüste nicht nur zum Tanzen brachte, sondern deren Haut in kleinen Wellen zittern machte – es war eine Qual, eine süße und stolze Qual, aber eine Qual.

Hatte Jörg keine Augen im Kopf? Oder war er so verbohrt, daß er Schönheit nur in der Revolutionärin sehen konnte, bei der ideologisch alles stimmte? Oder war er im Gefängnis schwul geworden? Oder hatte er sich's abgewöhnt? Einfach abgewöhnt? Ulrich war froh, daß zwischen seiner Tochter und Jörg nichts passiert war. Er wußte wenig von den sexuellen Erfahrungen, die sie machte. Er hoffte, daß sie Liebe und Glück erleben und keinen Schaden nehmen würde. Daß sie's mit Jörg gut getroffen haben würde, konnte er sich nicht vorstellen. Aber so froh er war – mit der Abweisung seiner Tochter hatte Jörg ihn gekränkt. Das war töricht, und es war erst recht töricht, daß er Lust hatte, sich dafür zu rächen. Er wußte es, aber es half nicht. Außerdem waren Jörg und Christiane schon immer arrogant zu ihm gewesen, und er hatte sie schon immer dafür gehaßt. Er hatte mit seinem Haß nur nichts anzufangen gewußt.

Er horchte. Seine Tochter schnarchte leise. Der Regen rauschte in den Blättern der Bäume und auf dem Kies vor dem Haus. Manchmal gurgelte er in der Regenrinne. Ein Saxophon spielte; es klang, als komme die langsame, traurige Melodie aus weiter Ferne. Ulrich stützte sich müde hoch, machte den einen Fensterflügel zu, ließ den anderen einen Spalt weit offen, ging auf Zehenspitzen zur Tür und öffnete und schloß sie behutsam. Jetzt hörte er das Saxophon deutlicher, es kam von unten. Er kannte die Melodie, wußte aber nicht mehr, wie sie hieß und wer sie spielte. Damals hatten sie sie als Erkennungszeichen gepfiffen, wenn sie einander abholten. Damals – je länger er mit den alten Freunden zusammen war, je genauer er sich daran erinnerte, was er und sie seinerzeit gewollt und gemacht hatten, desto fremder wurde ihm die Vergangenheit.

Daß einem Leben so entgleiten kann. Er versuchte, sich seine Kindheit zu vergegenwärtigen, seine Schule, seine erste Ehe. Er bekam Bilder zusammen, Ereignisse, Stimmungen. Er konnte sich sagen, so hat es damals ausgesehen, das ist damals passiert, so war mir damals zumute. Aber es blieb ihm äußerlich wie ein Film, und er fühlte sich betrogen. Dann ärgerte er sich. Warum muß ich auch in der Vergangenheit rumwühlen? Ich mache das doch sonst nicht. Ich bin ein praktischer Mensch. Ich kümmere mich ums Jetzt und ums Morgen.

Er würde am nächsten Tag nicht abreisen.

10

Als das Saxophon verklungen war und Christiane die Aus-Taste an ihrem kleinen tragbaren Gerät gedrückt hatte, verabschiedeten sich die meisten. »Gute Nacht.« – »Schlaft gut.« – »Bis morgen früh.«

Ilse blieb am Tisch sitzen, obwohl sie merkte, daß Jörg und Marko sie lieber nicht dabeigehabt hätten. Marko hätte auch Christiane gerne losgehabt, aber sie wollte um nichts in der Welt weichen, und Jörg hielt sie am Tisch, wandte sich ihr ebenso zu wie Marko, schenkte ihr ebenso nach. Die Spannung zwischen den dreien war so stark, daß Ilse ein aufregendes elektrisches Knistern spürte und dem Drängen ihrer Schüchternheit, unauffällig zu verschwinden, einfach nicht nachgab.

Zuerst hörte sie zu. Dann fand sie, was gesagt wurde, gleichgültig. Die Worte, die Jörg, Christiane und Marko wechselten, kamen ihr so beliebig vor wie das Material der Steine, mit denen sich Spieler auf einem Brett bekriegen. Nicht in den Worten spiegelte sich der Kampf der drei, sondern in ihren Stimmen, Mienen, Gesten. In Christianes schriller Schärfe, in Markos schmeichelnder, werbender Klebrigkeit. Marko gab sich als der sichere Gewinner, und Christiane wurde immer verzweifelter. Jörg redete nicht weniger als die anderen beiden und nicht weniger laut. Aber

Ilse verstand mehr und mehr, daß er nicht wirklich kämpfte. Die anderen beiden kämpften. Sie kämpften um seine Seele.

Und er genoß es. Es war nicht nur der Wein, der seine Zunge löste, sein Gesicht rötete und seinen Gesten Geschmeidigkeit gab. Es war nicht nur das warme Kerzenlicht, das seine Falten weichzeichnete. Ihn belebte, im Mittelpunkt zu stehen und zu spüren, wie wichtig, wie kostbar er für Christiane und Marko war. Es verjüngte ihn. So daß er die beiden immer wieder anstachelte, im Kampf um ihn nicht nachzulassen.

»Er ist doch noch fast ein Kind«, begütigte er Christiane, die Marko vorwarf, Jörg mit der Grußadresse zum Gewalt-Kongreß fast um die Begnadigung gebracht zu haben, worauf Marko sich als zwar junger, aber wacher Revolutionär zeigen mußte, der alles Recht habe, um Jörg zu werben. »Du möchtest mich entmündigen«, warf er Christiane vor, die nicht wollte, daß er sich mit den Veranstaltern des Kongresses träfe, worauf sie ihm versichern mußte, für wie überlegt und überlegen sie ihn hielt.

Marko ließ nicht locker. »Ich will nicht, daß du dich auf alles und jedes einläßt. Aber wir brauchen dich. Wir wissen nicht, wie wir gegen das System kämpfen sollen. Wir streiten und streiten, und manchmal machen ein paar von uns eine Aktion, und es brennt vor der Bundesanwaltschaft oder gibt einen Alarm im Bahnhof, und die Züge haben Verspätung, aber das ist Kinderkram. Dabei könnten wir zusammen mit den muslimischen Genossen wirklich was reißen. Die mit ihrer Power und wir mit dem, was wir über dieses Land wissen – gemeinsam könnten wir da zuschlagen, wo's echt weh tut. Aber dann kommen die, die sagen, doch nicht mit denen, dann können wir genausogut mit den Rechten, und ein paar sagen, genau, warum nicht auch mit den Rechten, und dazu gibt's die alten Diskussionen, die du hinter dir hast, ob Gewalt gegen Personen oder gegen Sachen oder überhaupt keine Gewalt – wir brauchen jemand mit Autorität. Die anderen RAF-Leute sind zu Kreuz gekrochen und haben geheult und bereut und sich entschuldigt – du nicht. Du hast keine Ahnung, was du für eine Autorität hast.«

Jörg schüttelte den Kopf. Aber nur, weil er mehr hören wollte: über seine Standhaftigkeit im Gefängnis und über die Bewunderung der Jungen und über seine Autorität bei ihnen und über seine Verantwortung. Ja, versicherte Marko, aus seiner Autorität folge Verantwortung, und er dürfe die Jungen nicht im Stich lassen.

Was konnte Christiane dem entgegenhalten? Daß er sich Zeit lassen soll. »Du bist noch keine vierundzwanzig Stunden aus dem Gefängnis und...«

»Zeit lassen«, höhnte Marko, »Zeit lassen? Er hat sich dreiundzwanzig Jahre lang Zeit lassen müssen. Er hat dreiundzwanzig Jahre durchgehalten, um das Vorbild zu werden, das er jetzt ist. Du hättest Nelson Mandela von Robben Island ins Allgäu in die Sommerfrische geschickt – stimmt's?«

Nelson Mandela? Ilse sah Jörg an – er lächelte ein bißchen verlegen, aber protestierte nicht. War sein Hunger nach Anerkennung so groß? Wie ausgehungert wäre ich nach dreiundzwanzig Jahren? Könnte ich Marko widerstehen? Er war gut. Wenn er Jörg aus offenem Gesicht mit blauen Augen direkt ansah, war's, als lege er ihm vertrauensvoll seine

Jugend zu Füßen. Ob Jörg an eine Erneuerung des Kampfs gegen das System, eine Zusammenarbeit mit Al Qaida und seine Rolle als Vorbild glaubte oder nicht – er glaubte an Markos Bewunderung und daran, daß Marko mit ihr nicht alleine stand.

»Erinnerst du dich nicht mehr, wie oft du von deiner Sehnsucht nach der Natur geredet hast? Nach Wäldern und Wiesen, dem jungen Grün im Frühjahr und den Farben im Herbst, dem Geruch von frisch gemähtem Gras und modernden Blättern? Und der Sehnsucht nach dem Meer – manchmal hast du gesagt, du wolltest nach deiner Entlassung so lange über den Strand laufen und den Wellen zuschauen, bis du das Gleichmaß der Wellen in dir hast. Und manchmal hast du von einem großen Garten mit Obstbäumen geträumt, unter denen du dich im Frühjahr in den Liegestuhl legen wolltest, in eine Decke eingemummt, gegen die Kühle geschützt – laß dir den Traum nicht nehmen!«

Mit Marko am Tisch waren Jörg seine Sehnsüchte und Träume peinlich. »Ich war damals verzweifelt, Christiane. Ich sehe jetzt klarer, daß ich eine doppelte Verantwortung habe, nicht nur mir gegenüber, sondern auch denen, die an mich glauben. Aber das Gewitter hat aufgehört, und ich würde gerne noch ein paar Schritte durch den Wald und über die Wiese mit dir gehen.« Er lächelte Christiane an. »Wollen wir?«

Und wieder war Christiane sofort versöhnt. Sie war zu empfindlich gewesen. Jörg hatte die Sehnsucht nach der Natur, die er mit ihr geteilt hatte, nicht an Marko verraten. Sie stand auf, noch vor Jörg, und als auch er stand, nahm sie seinen Arm und hängte sich an seine Seite wie eine Geliebte.

»Brauchen wir eine Taschenlampe?«

»Nein, ich kenne alle Wege.«

»Ihr seid sicher schon im Bett, wenn wir zurückkommen. Macht die Flasche leer, und schlaft gut.« Jörg winkte mit der Linken und legte die Rechte um Christianes Taille. Sie machten die beiden Flügel der Tür zum Garten auf, traten auf die Terrasse und waren von der Nacht verschluckt.

»Na, dann.« Marko schenkte Ilse und sich den Rest der Flasche ein. »Magst du?« Er bot ihr eine Zigarette an.

»Nein, danke.«

Marko ließ sich mit dem Anzünden der Zigarette Zeit. »Du hast mich den ganzen Abend angeschaut, als fragtest du dich, ob ich, was ich sage, eigentlich glaube. Oder ob ich bei Trost bin. Glaub mir, ich bin bei Trost, und ich glaube, was ich sage. Ich frage mich umgekehrt, ob du und deinesgleichen begreift, was mit der Welt los ist. Du denkst wohl, der 11. September wäre eine verrückte Muslimkiste gewesen. Nein, ohne den 11. September wäre nichts von dem Guten passiert, das in den letzten Jahren passiert ist. Die neue Aufmerksamkeit für die Palästinenser, immerhin der Schlüssel zum Frieden im Nahen Osten, und für die Muslime, immerhin ein Viertel der Weltbevölkerung, die neue Sensibilität für die Bedrohungen der Welt, von den ökonomischen bis zu den ökologischen, die Erfahrung, daß Ausbeutung einen Preis hat, der steigt und steigt – die Welt braucht manchmal einen Schock, um zu Sinnen zu kommen. Wie die Menschen – mein Vater lebt nach seinem ersten Herzinfarkt endlich so vernünftig, wie er schon immer hätte leben sollen. Bei anderen braucht's zwei oder drei.«

»Manche sterben am Herzinfarkt.«

Marko drückte die halbgerauchte Zigarette aus, trank das Glas leer und stand auf. »Ach, Ilse – das ist doch dein Name, Ilse? –, wer heute am Herzinfarkt stirbt, ist selbst schuld. Schlaf gut.«

11

In ihrem Zimmer saß Ilse eine Weile im Dunkel, ehe sie die Kerze anzündete und ihr Heft aufschlug.

»Er ist der Beste« – Jörgs Bemerkung über Jan war ihr nicht aus dem Kopf gegangen. Meinte er einen anderen Jan? Wenn er den gemeinsamen Freund meinte, hätte schon »er war der Beste« schlecht zu Jörgs Äußerungen bei der Beerdigung gepaßt und wäre verwunderlich genug gewesen. »Er ist der Beste« paßte überhaupt nicht. Es sei denn, der gemeinsame Freund Jan hatte sich damals tatsächlich nicht umgebracht, sondern aus seinem alten Leben davongemacht, um ein neues zu beginnen, ein Leben als Terrorist, das er bis heute lebte. Dann war Jörgs Verachtung bei der Beerdigung nur gespielt gewesen und die heutige Bewunderung echt. Dann hatte Jan die Bewunderung auch verdient: ein Terrorist, der sich nicht hatte fassen lassen.

Ilse erinnerte sich an ihre damaligen Recherchen und stellte sich vor, wie Jan sie alle getäuscht hatte. Er mußte das Beerdigungsunternehmen bestochen oder erpreßt haben. Das Beerdigungsunternehmen hatte ihn in Frankreich abgeholt, nach Deutschland gebracht, aufgebahrt und begraben. Es konnte auch die andere Leiche besorgen, die der französische Gerichtsmediziner auf dem Tisch gefunden und obduziert hatte. Daß es ihm die Leiche in Sweatshirt und Jeans statt im Anzug präsentiert hatte, war eine Panne – vielleicht hatte Jan versäumt, einen zweiten Anzug mitzubringen. Noch jemand mußte Jan geholfen haben: ein Arzt oder eine Ärztin, eine Krankenschwester.

Die französische Polizei hatte damals einen anonymen Anruf bekommen. Es war sechs, nach einer kalten Nacht der frische Morgen eines sonnigen Frühlingstags. Ein Polizist fuhr mit dem Motorrad zur Steilküste und fand an dem angegebenen Platz das abgestellte Auto. Ein Deux-Chevaux – Jan verweigerte sich aus einer Mischung aus Nostalgie und Snobismus einem Mercedes, wie ihn seine Kollegen in der Kanzlei fuhren. Der Motor hatte das Benzin aufgebraucht und lief schon seit einer Weile nicht mehr, die Scheiben waren klar, und der Polizist konnte Jan deutlich sehen, zurück- und ans Fenster gelehnt, mit offenem Mund und offenen Augen, die Hände im Schoß. Der Polizist konnte auch sehen, was passiert war; vom Auspuff führte ein Schlauch zur Beifahrerseite und durch das sorgsam abgedichtete Fenster ins Wageninnere. Er machte die Tür auf, und Jan rutschte vom Sitz, aus dem Auto und auf den Boden. Er sah so tot aus, wie man nur tot aussehen kann, und fühlte sich auch so an: die Haut kalt, die Farbe grünlich, kein Atem. Der Polizist benachrichtigte die Zentrale und rief einen Krankenwagen und machte bis zu dessen Eintreffen Photographien: das Auto, der Schlauch am Auspuff, der Schlauch am Fenster, der Feldstein auf dem Gaspedal, Jan auf dem Boden vor dem Auto, Jans Gesicht von oben und von vorne und von der Seite.

Ilse und Ulla hatten sie wieder und wieder angeschaut. Und sie hatten sich, als sie in der Normandie waren, die Geschichte von dem Polizisten erzählen lassen. Er hieß Jacques Beaume, hatte drei Kinder, war voller Mitgefühl und bereit, die Geschichte ausführlich zu erzählen und Fragen geduldig zu beantworten. War es nicht verdächtig, daß der Anrufer anonym geblieben war? Nein, es war Sonntag, und der Anrufer wollte seine Zeit nicht als Zeuge vertun. Warum kam nach dem ersten Krankenwagen noch ein zweiter? Die Rettungsdienste sind alle auf Polizeifrequenz geschaltet, und manchmal jagt der eine dem anderen einen Auftrag ab. Jacques Beaume saß mit Ilse und Ulla zuerst auf der Polizeistation und dann im Café, bis sie sich alles vorstellen konnten.

Jetzt stellte Ilse sich vor, was davor und danach passiert war.

Jan lehnt am Auto und wartet darauf, daß der Tank leer wird. Die Nacht ist dunkel. Die Wolken verhüllen Mond und Sterne und reflektieren kein Licht – weit und breit liegt keine Stadt. In der Ferne erkennt Jan das Licht eines Leuchtturms, nicht heller als ein heller Stern, mit regelmäßig auf- und weghuschendem kleinem Lichtstrahl.

Pfarrerskind, als Schüler an Theologie und als Student an Philosophie interessiert, sein Leben lang dem verpflichtet, was sich gehört – Jans Gedanken gehen vom gestirnten Himmel, den er nicht sieht, zum moralischen Gesetz, das er nicht fühlt, und zu dem Schritt, den er tun wird: Frau und Kinder verlassen. Und wie in den vergangenen Wochen, in denen er darüber nachgedacht hat, beruhigt er sich auch jetzt wieder mit dem Gedanken, daß sie nie erfahren werden, was er tut. Daß er für sie tot sein wird. Daß, wer tot ist, nur betrauert werden kann. Daß, auch wer sich selbst tötet, nicht angeklagt, sondern nur bemitleidet werden kann. Daß er denen, die er zurückläßt, nicht den Schmerz des Verlassen-Werdens zufügt, sondern den Schmerz des Jemanden-entrissen-Bekommens, einen nicht von Menschen, sondern vom Tod verursachten Schmerz, einen Schmerz, gegen den wir uns nicht auflehnen, sondern den wir hinzunehmen gelernt haben. Und er denkt weiter an das neue Leben und an die Macht, die er in ihm haben wird, die Macht des Phantoms, dessen Identität niemand kennt und dessen Spur ins Nichts führt. Seine Taten können um so kühner sein. Er wird sich in die Geschichte einschreiben, zunächst als Anonymus und später vielleicht doch noch mit seiner wahren Identität, wenn er enthüllt, wer das System in die Knie gezwungen und ihm Gerechtigkeit abgetrotzt hat. Dem zwielichtigen Unternehmen, dessen Mandat seine Kanzlei ihm aufgedrückt und dessen Unterlagen er vernichtet hat, hat er immerhin schon einmal eine Million abgeluchst.

Jan friert, auch wenn das leise tuckernde, leicht vibrierende Auto Wärme spendet. Er weiß, daß ihm bald noch viel kälter sein wird.

Der Motor hustet und erstirbt. Aber die Nacht ist nicht still. Die Wellen des Meers rauschen laut an, brechen sich klatschend an den Felsen und laufen, wo sie Sand und Kies mitnehmen, zischend zurück ins Meer. Manchmal schreit eine Möwe. Jan schaut auf die Uhr. Es ist drei, die anderen müssen jeden Augenblick dasein. Oder ob nur einer kommt?

Dann hört Jan das Auto. Er hört es lauter, wenn es über eine Höhe fährt, dann sieht er manchmal auch die auf Standlicht eingeschalteten Scheinwerfer, und leiser, wenn es in eine Senke taucht. Da, wo der Feldweg von der Landstraße abgeht und auf die Steilküste führt, hält es. Jan hört das Zuschlagen einer Autotür. Also kommt nur einer.

Die französischen Genossen haben eine Frau geschickt. Sie ist freundlich, sachlich, knapp. »Du weißt, daß du, wenn du Pech hast, stirbst?«

»Ja.« Jan wird nicht sterben. Er weiß es.

»Du mußt die Vene am Arm frei machen.«

Jan zieht die Jacke aus, legt sie aufs Dach des Autos, knöpft den Ärmel des Hemds auf und schiebt ihn zurück. Mit auffordernder Geste gibt sie ihm eine Taschenlampe. Er beißt die schlagenden Zähne aufeinander und leuchtet ihr. Sie zieht eine Spritze auf. »Zuerst das Valium.« Er schaut weg, als sie in seine Vene sticht. Als sie noch immer nicht fertig ist, sieht er doch hin. Sie nimmt sich nicht besonders viel Zeit; die Spritze ist besonders groß. Dann ist die Frau fertig und läßt ihn einen Tupfer auf den Einstich drücken. »Jetzt noch das Cardiogreen.« Davon war vorher nicht die Rede. Aber die zweite Spritze geht schnell.

Jan knöpft den Ärmel zu, zieht die Jacke an und setzt sich ins Auto. Sie fährt mit dem Schein der Taschenlampe über den Grund und versichert sich, daß kein Tupfer, kein Rest von der Verpackung der Spritze oder der Ampulle zu Boden gefallen ist. Sie steht in der offenen Tür und erklärt ihm, wie es weitergeht. »In fünfzehn Minuten schläfst du. Um sechs bist du so ausgekühlt und atmest so flach, daß dich die Polizei, wenn sie nicht ganz genau ist, für tot hält. Eigentlich atmest du kaum noch. Warum sollte die Polizei ganz genau sein? Sie läßt den Krankenwagen kommen.« Sie lachte. »Das Cardiogreen war meine Idee. Es macht richtig schöne Leichen.« Sie zog ihm die schwer werdenden Augenlider hoch, leuchtete ihm in die Augen und tätschelte ihm die Wange. »Um halb oder Viertel vor sieben holt unser Krankenwagen dich. Bonne chance!« Sie schlägt die Tür zu und geht.

Auf einmal kommt die Angst. Auf einmal fühlt sich, was nur wie der Tod aussehen soll, wie der wirkliche Tod an. Sein Leben geht zu Ende, und was danach kommt, ist nicht mehr sein Leben, sondern das eines anderen. Wenn es kommt – Jan weiß nicht mehr, daß er nicht sterben wird. Der Tod läßt nicht mit sich spielen. Er läßt nicht mit sich spaßen. Er…

Voller Todesfurcht verliert Jan das Bewußtsein.

Ilse klappte ihr Heft zu. Sie hätte gerne noch ein Glas Rotwein getrunken, aber sie hatte Angst vor dem stillen, dunklen Haus und traute sich nicht in die Küche. Als sie im Bett lag, hatte sie Angst vor dem Einschlafen, als wolle auch sie mit ihrem Schlaf dem Tod auf der Nase herumtanzen. Oder wollen wir das tatsächlich jedesmal, wenn wir einschlafen? Und wie ist das mit dem Abschiednehmen? Wenn wir für den anderen sterben und zugleich weiterleben wollen?

Da war auch sie eingeschlafen.

12

Ilse hätte sich vor dem stillen, dunklen Haus nicht fürchten müssen. In der Küche saß Christiane beim Licht einer Kerze am Tisch, trank noch ein letztes Glas Rotwein und noch eines und fragte sich, wie sie den neuen Tag besser zusammenhalten könne als den alten. Nichts hatte geklappt, wie sie es geplant hatte. Natürlich sollte Jörg die Anerkennung finden, die er so lange entbehrt hatte. Aber doch nicht bei Marko – Christiane hat sich immer von der Unterstützerszene ferngehalten und auch deren Kontakt zu Jörg hintertrieben, wo sie nur konnte. Jörg sollte Anerkennung zunächst bei den alten Freunden finden, dann über Vorträge, Interviews, Auftritte in Talkshows und schließlich mit einer Autobiographie in einem renommierten Verlag. Er hatte das Zeug dazu, sie wußte es, und sie wußte auch, daß das Publikum Menschen mag, die durch die Hölle gegangen sind und darüber nachgedacht und daraus gelernt haben. Wenn er sich auf Marko einließ, brachte er sich um die Chance seines Lebens. Und warum interessierte er sich nicht für Margarete, die doch mit ihrer Wärme und Fröhlichkeit genau das war, was er brauchte? Seit sie Margarete vor neun Jahren kennengelernt hatte, wußte sie, daß sie die Richtige für Jörg war. Margarete hatte im Lauf der Jahre auch viel über Jörg zu hören bekommen und sogar Interesse an einem Besuch im Gefängnis gezeigt. Dennoch hatte Christiane sie nie zum gefangenen Jörg mitgenommen, sie wollte sie für den freien aufsparen. Nun war Jörg frei und konnte es eigentlich losgehen. Aber nichts ging los. Und das Nachthemd – es sollte Jörg glücklich machen und hatte ihn statt dessen lächerlich gemacht. Er mußte sie dafür hassen.

Wie wehrlos wir in schlaflosen Nächten sind! Den dummen Gedanken ausgeliefert, die unsere wache Klugheit sofort erledigen würde, der Hoffnungslosigkeit, gegen die tags die kleinen Erfolge beim Wäsche-Waschen, Auto-Parken oder Freunde-Trösten helfen, der Traurigkeit, der wir in der Erschöpfung des Tennis-Spielens, Laufens oder Gewicht-Hebens Siege abtrotzen. In schlaflosen Nächten schalten wir den Fernsehapparat ein oder greifen nach einem Buch, nur damit uns, ohne daß wir darum schlafen könnten, über den Bildern und Seiten die Augen zufallen und wir wieder das Opfer der dummen Gedanken, der Hoffnungslosigkeit und Traurigkeit werden. Christiane hatte nicht einmal einen Fernsehapparat oder ein Buch. Sie hatte Rotwein, der nicht half. Wie sollte sie den nächsten Tag besser in den Griff kriegen? Sie hatte keine Ahnung.

Aber sie mußte es schaffen. Wenn sie Jörg nicht besser durch den neuen Tag brachte, wie sollte sie dann hoffen, ihn in ein neues, besseres Leben zu bringen? Ihn, der nie im Leben gewesen war, im richtigen Leben mit Arbeit und Kollegen und einem festen Ort, sondern immer im Aufbruch, der immer irgendwo anders sein, irgendwas anderes hatte machen wollen als da, wo er gerade war, und das, was er gerade machte. Sie mußte ihn leben lehren.

Sie hätte ihn früher nicht zu seinen Aufbrüchen ermuntern dürfen. Es hatte sie stolz gemacht, wie kundig ihr kleiner Bruder sich in andere Zeiten und Welten träumte und wie lebendig er davon erzählte. Es hatte sie gerührt, wie edel die Taten waren, die er in seiner Phantasie vollbrachte, mit Falk von Stauf bei der Rettung der Marienburg, mit T. E. Lawrence bei der Befreiung der Araber, mit Rosa Parks beim Kampf gegen die Rassentrennung. Zeigte das nicht, daß er ein guter Junge war? Dann wandte seine Phantasie sich der Gegenwart und Zukunft zu und wurde aus dem »Ach, hätte ich doch« ein »Ach, könnte ich doch« und »Ich müßte«. Auch darin hatte sie ihn bestätigt. Daß er die Schlechtigkeit der Welt nicht hinnahm, daß er für die Gerechtigkeit kämpfen, den Unterdrückern und Ausbeutern die Stirn bieten und den Erniedrigten und Beleidigten helfen wollte – wie hätte sie ihn darin nicht bestätigen sollen? Aber sie hätte es nicht tun dürfen. Schon gar nicht hätte sie ihn merken lassen dürfen, wie sehr sie danach brannte, ihn als Helden großer Taten zu sehen.

Sie wußte, daß Mütter ihre Söhne mit ihren Erwartungen kaputtmachen können. Aber sie war nicht Jörgs Mutter, sie war erst recht nicht eine der Mütter, die kein eigenes Leben haben, für sich nichts erwarten können und alles vom Sohn erwarten müssen, und lieb hatte sie Jörg sowieso, ob er große Taten vollbrachte oder nicht. Nein, sie konnte Jörg nicht mit ihren Erwartungen beschädigt haben. Oder doch?

Oder hatte sie zu viel eigenes Leben gehabt? Hätte sie das Medizinstudium lassen sollen, das sie gerade in den Jahren viel Kraft gekostet hatte, als Jörg in der Pubertät war? Später, als er aus dem Studium driftete, machte sie ihren Facharzt und hatte wieder nur wenig Zeit für ihn. Sie merkte lange nicht, was sich vorbereitete. Als sie es merkte, war es zu spät.

Sie schüttelte den Kopf. Schluß mit der Vergangenheit. Wie gebe ich Jörg eine Zukunft? Das beste Angebot, das er hatte, war ein Volontariat in einem Verlag. Ein gut bezahltes Volontariat – schon das gefiel ihr nicht. Volontariate waren knapp, und Volontäre arbeiteten für wenig Geld. Der Verleger wollte nur seine Revolutions- und Terrorismusromantik befriedigen, sich mit Jörg schmücken und sich das auch was kosten lassen, aber er war nicht wirklich an Jörgs Arbeit interessiert. Ob Henner was bei einer Zeitung für Jörg wußte? Karin bei der Kirche? Ulrich in seinen Labors? Wahrscheinlich würde Ulrich eine Stelle für Jörg finden. Aber Jörg würde keinen weißen Kittel anziehen und Kronen gießen. Er mußte es auch nicht, wenn er bei seinem ersten Auftritt in einer Talkshow seine Karten richtig spielte. Er brauchte einen Coach. Aber würde er sich von einem Coach etwas sagen lassen?

Sie hatte vor den nächsten Wochen Angst. Was würde er machen, wenn sie bei der Arbeit war? Sich nicht unter die Menschen und auf die Straße trauen und zu Hause bleiben? Oder welt- und lebensgierig eine Torheit nach der anderen begehen? Sie hatte den Sohn der Nachbarn angestellt, Jörg mit dem Computer und dem Internet vertraut zu machen. Sie hatte in das Gäste- oder Jörgzimmer die Manuskripte und Bücher gelegt, über denen er vor dreißig Jahren an seiner Magisterarbeit saß. Im Gefängnis hatte er daran nicht weiterarbeiten wollen. Vielleicht jetzt in Freiheit? Aber sie glaubte nicht daran. In ihrer Angst sah sie ihn in einem der glänzenden synthetischen Jogginganzüge durch die Straßen schlurfen, in denen die Arbeitslosen mit Hund und Zigarette und Bierdose in ihrem Viertel unterwegs waren, planlos, ziellos, mutlos.

Sie wußte, daß sie ins Bett gehörte. Wie sollte sie dem neuen Tag besser gerecht werden, wenn sie müde war und einen Kater hatte? Sie stand auf und sah sich um. Neben der Spüle stapelte sich das schmutzige Geschirr, auf dem Herd standen die verklebten Pfannen und Töpfe. Christiane seufzte, entsetzt über die Größe der Aufgabe und erleichtert, weil sie anders als die Aufgabe Jörg bewältigbar war. Sie zündete weitere Kerzen an, setzte Wasser auf, füllte das Becken zu einem Drittel mit kaltem Wasser, gab Spülmittel hinein, kratzte die letzten Wurstreste und Salatblätter von den Tellern und legte einen um den anderen ins Spülwasser. Als das Wasser kochte, schüttete sie es dazu und setzte neues auf. Gläser, Teller, Schüsseln, Besteck, dann Töpfe und Pfannen – es ging ihr leicht von der Hand, ihr Kopf wurde klarer und ihr Herz ruhiger.

Dann spürte sie, daß sie beobachtet wurde, und sah auf. In der Tür lehnte Henner, T-Shirt über den Jeans und die Hände in die Gesäßtaschen gesteckt.

13

»Wie lange schaust du mir schon zu?« Sie beugte sich wieder über die Pfanne, die nicht sauber werden wollte.

»Seit zwei Töpfen.«

Sie nickte und spülte weiter. Er blieb stehen und sah ihr weiter zu. Sie fragte sich, wie sie unter seinem Blick bestehen mochte. Erkannte er in ihr die Frau wieder, die ihm damals gefallen hatte? Wie erkannte er sie wieder, bewundernd oder bemitleidend oder entsetzt?

»Wie du bei der Arbeit mit dem abgespreizten kleinen Finger das Haar hinters Ohr schiebst – das hast du damals genauso gemacht. Und wie du dich aus der Hüfte drehst, wo andere einen kleinen Schritt nach links oder nach rechts machen. Und wie du fragst, knapp und ernst und ohne alles Werben.« Und so, daß ich gleich ein schlechtes Gewissen kriege. Nein, dachte Henner, du hast dich nicht verändert. Und wie ich auf dich reagiere, hat sich auch nicht verändert.

Henner sah das Grau in Christianes braunem Haar, die Tränensäcke unter den Augen, die tiefen Falten über der Nasenwurzel und von den Nasenflügeln zu den Mundwinkeln. Er sah die Altersflecken auf den Händen und daß die Sommersprossen stumpf geworden waren. Er sah, daß Christiane nichts für ihre Figur tat, keinen Sport trieb, keine Gymnastik, kein Yoga. Er sah es, und es störte ihn nicht. Daß sie ein paar Jahre älter war als er, hatte ihn damals gereizt. Daß es ihn damals gereizt hatte, machte sie jetzt ein paar Jahre jünger.

»Was ist damals eigentlich passiert?«

Sie unterbrach ihre Arbeit nicht und sah nicht auf. »Wovon redest du?«

Henner mochte nicht glauben, daß das eine ernstgemeinte Frage sein sollte, und antwortete nicht. Aber nach einer Weile fragte sie noch mal, wieder ohne ihre Arbeit zu unterbrechen und aufzusehen. »Was willst du wissen?«

Er seufzte, löste sich von der Tür, bückte sich zu den Kästen mit dem Sprudel, nahm eine Flasche und ging. »Gute Nacht, Christiane.«

Sie spülte fertig, putzte den Herd, wischte den Tisch und ließ das Wasser ablaufen. Dann trocknete sie ab, obwohl alles von allein hätte trocknen können. Dann deckte sie den Tisch für das Frühstück. Dann setzte sie sich und schenkte sich noch ein Glas ein. Alles Spülen und Abtrocknen und Vorbereiten half nicht. Sie mußte mit Henner reden. Er war als Journalist zu mächtig und für Jörgs Zukunft zu wichtig, als daß sie ihn verprellen durfte. Sie mußte auf seine Fragen antworten. Aber was sollte sie ihm sagen? Die Wahrheit?

Sie blies die Kerzen aus, ging durch die Halle, die Treppe hinauf und über den Gang zu Henners Zimmer. Unter der Tür schien Licht hervor. Sie klopfte nicht. Sie öffnete leise die Tür und trat ein. Henner lag im Bett, Kopf und Kissen gegen die Wand gelehnt, und las beim Schein der Kerze. Er schaute auf, ruhig und bereit. Ja, seine Ruhe hatte sie damals gemocht und seine Bereitschaft, sich auf sie einzulassen, auf ihre Wünsche, Gedanken, Launen. Die Bereitschaft hatte etwas Luftiges, sie war offen für alle und jede. Oder befürchtete sie das nur? Sie fand die Bereitschaft und Ruhe in seinem Gesicht, in den aufmerksamen Augen, dem großen Mund mit den schmalen Lippen, dem entschlossenen Kinn.

»Du verdirbst dir die Augen.«

Er ließ das Buch sinken. »Nein, das ist eine der falschen Wahrheiten, die uns als Kindern beigebracht wurden, wie das Öl bei Brandwunden und die Kohle bei Durchfall.«

»Was liest du?«

»Einen Roman. Über eine Journalistin und einen Journalisten, ihre Rivalität, ihre Liebe, ihre Trennung.« Er legte das Buch auf den Stuhl neben dem Bett, auf dem die Kerze stand, und lachte. »Die Verfasserin und ich waren einmal zusammen, und ich will wissen, ob sie über mich geschrieben hat, bevor ich darauf angesprochen werde.«

»Hat sie?«

»Ja, aber bisher wird's außer mir niemand merken.«

Christiane zögerte, ehe sie fragte. »Darf ich mich aufs Fußende setzen? Dann kann ich mich an die Wand lehnen.«

Henner nickte und winkelte die Beine an. »Bitte.« Dann sah er sie wortlos und aufmerksam an.

»Ich habe das nicht nur so gesagt. Ich weiß wirklich nicht, was du wissen willst.«

Er sah sie ungläubig an. »Christiane!«

Aber sie sah ernsthaft zurück. »Es ist so viel passiert damals.«

Er konnte nicht glauben, was sie sagte. Hatte sie den Sommer damals so anders erlebt als er? War es für sie gar nicht der Sommer ihrer Liebe, der es für ihn war?

Seit Jörg und er Freunde waren, hatte er für sie geschwärmt, es gab kein besseres Wort, für die schöne, spröde, große Schwester. Sie war immer freundlich zu ihm, aber er spürte, daß sie ihn nicht als Person wahrnahm, sondern nur als den Freund des kleinen Bruders, der ihm guttat oder schlecht. Bis zu dem Sommer. Bis sie ihn auf einmal ernst nahm. Er wußte nicht, warum es geschah; er hatte sie mit dem Auto nach Hause bringen sollen, aus einer fünfzehnminütigen gemeinsamen Heimfahrt war durch eine Panne eine halbe Nacht der Gemeinsamkeit geworden, und danach war alles anders. Sie gingen zusammen zu Marcuse und Dutschke, zu Deep Purple und José Feliciano, schmusten im Kino und im Schwimmbad und machten Pläne für zwei Wochen in Barcelona, einen kurzen Sommer der Anarchie. Dann schliefen sie miteinander, und mittendrin riß sie sich von ihm los, stand auf, griff ihre Kleider und rannte aus dem Zimmer. Wochenlang versuchte er, sie zu stellen und mit ihr zu reden. Sie war für ihn nicht erreichbar.

Ja, es war viel passiert in dem Sommer damals. Aber nur eines, das ihn nach mehr als dreißig Jahren noch fragen lassen konnte. Das sah sie nicht selbst? Also gut. »Warum bist du, als wir uns liebten, plötzlich aufgesprungen und weggelaufen?«

Christiane schloß die Augen. Wie gerne würde sie ihm eine Lüge präsentieren. Auch eine, die sie in schlechtes Licht setzte. Auch eine, die ihr peinlich wäre. Aber ihr fiel keine ein. Also mußte sie die Wahrheit sagen, obwohl sie wußte, daß er sie nicht verstehen würde. Er würde nichts verstehen. »Es war bei uns zu Hause, erinnerst du dich? In meinem Zimmer, meinem Bett. Ich dachte, Jörg sei übers Wochenende weg, aber er kam am Samstag nach Hause und stand auf einmal in der Tür – du hast es nicht mitgekriegt, aber ich sah ihn und sah sein Gesicht, als er begriff und einen Schritt zurückging und die Tür wieder zumachte.«

Henner wartete eine Weile. »Und?«

»Und? Ich wußte, daß du nichts verstehen würdest. Ich kann dir auch nicht damit helfen, daß Jörg und ich... Eine Zeitlang provozierte er gerne mit dem dummen Spruch ›Und nun, mein liebes Schwesterchen, wie wär's mit 'nem Inzesterchen‹, aber da war nie was. Trotzdem habe ich ihn verraten, als ich mit dir...« Christiane öffnete die Augen und sah Henner forschend an. »Du verstehst nichts, stimmt's? Daß es für mich nur ihn gab, wie es für die Mutter nur den Sohn gibt, gut, es gibt für die Mutter noch den Mann, aber nicht so wie den Sohn, der Mann ist von gestern, der Sohn ist von heute, daß es für mich nur ihn gab, hielt ihn in der Welt, und als ich ihn an dich verriet, fiel er aus der Welt, und ich bin gerannt, aber habe ihn nicht mehr aufgefangen, es war zu spät, ich habe, was ich angerichtet habe, nicht wiedergutmachen können.«

Henner sah sie an, sah die Traurigkeit in ihrem Gesicht, weil er sie nicht verstand, sah die Hoffnung, daß er sie vielleicht doch noch verstünde. Er sah die Erschöpfung der Vergeblichkeit; sie hatte für ihren Bruder Opfer um Opfer gebracht und nichts bewirkt, nichts verhindert, nichts befördert. Er sah den Eigensinn, mit dem sie meinte, sie könne ihn auffangen, heute noch, und mit dem sie rannte und rannte, um im rechten Moment zur Stelle zu sein. »Hast du seinetwegen... Du hast doch Beziehungen mit Männern gehabt, oder? Warst du verheiratet? Bist du geschieden?«

Sie schüttelte den Kopf. »Ich habe immer die jungen Kollegen angezogen, im Krankenhaus oder auch auf Kongressen, und nach einer Weile haben sie gemerkt, daß ich ihnen nicht sein kann, was sie suchen, und ich will's auch nicht. Dann habe ich sie manchmal wegschicken müssen, weil sie zu schwach waren zu gehen, weißt du, die jungen, die ich anziehe, sind oft die weichen und schwachen, und manchmal sind sie einfach weggedriftet. Ein paar habe ich Jahre später mit ihren jungen Frauen getroffen, eine Krankenschwester hat sie sich geschnappt oder eine MTA, und sie waren ein bißchen verlegen und haben mir Bilder ihrer Kinder gezeigt.« Christiane lächelte Henner entschuldigend an. »Du darfst nicht denken, daß es damals nicht schön gewesen wäre mit dir und ich dich nicht gemocht hätte. Aber es war nicht das Wichtigste. Es war nie das Wichtigste. Es gab keinen anderen, den ich mehr gemocht hätte als dich.«

Außer Jörg, dachte Henner, und daß, was sie ihm zum Trost sagte, ihn nur traurig machte. Hätte sie wenigstens einen anderen richtig geliebt! Aber er sagte nichts und nickte nur.

Sie beugte sich zu ihm, küßte ihn auf den Mund und stand auf. »Schlaf gut.«

»Warum hat Jörg gesagt, es sei mutig von mir zu kommen?«

»Das hat er gesagt?«

»Ja.«

Sie stand neben dem Bett und sah ihn nachdenklich an. »Ich weiß es nicht. Vielleicht hat er's zu allen gesagt. Vielleicht wollte er einfach etwas Freundliches sagen. Mach dir keine Gedanken.«

14

Aber sie mußte sich Gedanken machen. Sie war sicher, daß Jörg es nicht zu allen gesagt und nicht freundlich gemeint hatte. Es steckte eine Herausforderung in seinen Worten, eine Drohung. Als ob der nächste Tag nicht schon heikel genug würde!

Sie lehnte sich im Flur an die Wand. Sie hätte im Stehen schlafen können, so müde war sie. Das Gespräch mit Henner hatte sie mehr angestrengt, als sie erwartet hatte. Daß es einen so viel Kraft kosten kann, nicht verstanden zu werden! Aber sie hatte keine Wahl gehabt, sie hatte sagen müssen, was sie gesagt hatte. Und jetzt mußte sie mit Jörg reden.

Aus seinem Zimmer drang kein Licht. Aber er schlief nicht. Als sie die Tür einen Spalt öffnete, fragte er sofort mit Mißtrauen und Abwehr in der Stimme: »Hallo?«

Sie schlüpfte ins Zimmer. »Ich bin's.«

»Was ist los?« Die Streichhölzer, nach denen er tastete, fielen vom Stuhl auf den Boden, und er suchte leise schimpfend auf dem Boden weiter.

»Ich brauche kein Licht. Ich will nur wissen, was du gemeint hast, als du Henner gesagt hast, es sei mutig von ihm zu kommen.«

»Dafür brauche ich Licht.« Er fand die Streichhölzer,

zündete die Kerze an und setzte sich auf den Bettrand. »Ich finde mutig, daß er mich zuerst ins Gefängnis bringt und dann meine Entlassung aus dem Gefängnis mit mir feiert.«

»Er hat...«

»Ja, er hat mich damals ins Gefängnis gebracht. Außer Dagmar und Wolf wußte nur er von Mutters Hütte im Odenwald, und beide, Dagmar und Wolf, sind lange nach mir gefaßt worden. Als ich Geld und Waffen holen wollte, haben die Bullen schon auf mich gewartet.«

»Du kannst nicht wissen, mit wem Dagmar und Wolf geredet haben.«

Er verdrehte die Augen und redete mit der bemühten Geduld, mit der Erwachsene auf unsinnige Einwände von Kindern reagieren. »Ich weiß, daß sie mit niemandem geredet haben, okay?«

»Was hast du vor?«

»Nichts. Ich will Henner nur fragen, wie er sich damals gefühlt hat. Alle wollen von mir wissen, wie ich mich hierbei und dabei gefühlt habe – jetzt will ich's auch wissen.«

»Ulrich hat dich gefragt, sonst niemand. Henner hat kaum geredet.«

»Dann kann er ja reden, wenn er meine Frage beantwortet.« Jörg sah seine Schwester feindselig an. »Duck mich nicht ständig. Bei Ulrich und Marko hast du mich ducken wollen, und bei Henner willst du mich wieder ducken. Ich stelle mich den blöden Fragen der anderen, weil ich verstehe, warum sie neugierig sind, aber dann sollen sie sich auch meinen blöden Fragen stellen. Ich tue Henner nichts. Ich werfe ihm nichts vor. Es war Krieg, er hat entschieden, auf welche Seite er gehört, und hat gehandelt. Er ist mir lieber als diese Gutmenschen, die alle und alles verstehen und sich nie die Hände schmutzig machen. Brauchbare Idioten, aber Idioten. Nein, ich will keinen Streit mit ihm, ich will von ihm nur wissen, wie er sich gefühlt hat.«

»Aber es wird Streit geben.«

Er lächelte überlegen. »Nicht, was mich angeht, Tia, nicht, was mich angeht.« Er stand auf, lüpfte sein Nachthemd einen Fußbreit und machte eine ironische Verbeugung. »Machen sich Ihre königliche Hoheit keine Sorgen. Ihr Diener wird Ihnen keine Schande machen. Zumal jetzt, wo er Ihren Mantel trägt. Du bist ein Schatz.« Er nahm sie in die Arme.

Sie legte den Kopf an seine Brust. »Verscherz es mit Henner nicht. Er hat viel Einfluß, er hat guten Willen, er kann dir helfen. Wen interessiert schon, was vor dreißig Jahren war. Du mußt in die Zukunft leben, nicht in der Vergangenheit.« Tia hatte er zu ihr gesagt, und Böckchen wollte sie zu ihm sagen, wie sie es früher und wie es schon die Mutter zu ihm gesagt hatte. Aber sie spürte, daß er sich unter ihren Worten von ihr abgewandt hatte.

Er hielt noch die Arme um sie, aber die Innigkeit war weg. Dann tätschelte er ihr den Rücken. »Duck mich nicht, Christiane. Ich brauche niemanden, keinen Henner, keine Karin, keinen Ulrich. Ich komme mit wenig aus – das immerhin habe ich im Gefängnis gelernt. Gut, ich träume von Urlaub, den ich mir mit Sozialhilfe nicht leisten kann. Meinst du, du nimmst mich mal mit?« Er schob sie von sich, so daß er ihr ins Gesicht sehen konnte.

Sie weinte.

15

Als alle schliefen, wachte Margarete auf. Bei Jörgs frühem Aufbruch hatte auch sie die Runde verlassen, war in das Gartenhaus gegangen, in dem sie alleine wohnte, und hatte sich ins Bett gelegt. Jetzt hatten die Schmerzen in der linken Hüfte sie geweckt, Erinnerungen an einen Unfall vor vielen Jahren. Sie weckten sie jede Nacht.

Sie legte sich auf die Seite, stellte die Beine auf den Boden und setzte sich auf. Im Sitzen tat die Hüfte so weh wie im Liegen. Aber der Schmerz strahlte nicht mehr in die linke Seite und ins linke Bein. Sie wußte, sie sollte Übungen machen, Hüfte, Seite und Bein strecken. Die Tabletten nehmen, die sie vor dem Einschlafen vergessen hatte.

Statt dessen sah sie aus dem Fenster. Der Regen hatte aufgehört, der Himmel war klar, der Mond schien auf den Park. Er schien ihr auch auf die Füße. Ganz weiß leuchteten sie auf den dunklen Dielen. Sie nahm es als Aufforderung aufzustehen, die Treppe hinunterzugehen und vor die Tür zu treten. Jeder Schritt fiel ihr schwer. Es war nicht nur die Hüfte. Seit ein Arzt sie mit Cortison behandelt hatte, war sie dick. Aber abzunehmen hätte mehr Disziplin verlangt, als sie hatte und haben wollte.

Das Haus und das nahe Dorf lagen im Dunkel. Nur Mond und Sterne leuchteten, die Sternbilder überwältigend klar und hell, die Milchstraße verschwenderisch großzügig, der Mond mit zufriedener Behäbigkeit. Margarete kamen Urlaube im Süden in Erinnerung, in denen sie, unter stadthellem nächtlichem Himmel aufgewachsen, zum ersten Mal den Sternenhimmel in seiner Pracht gesehen hatte. Es braucht die Ferne nicht, dachte sie, es ist alles hier.

Mit langsamen, vorsichtigen Schritten ging sie los. Sie hatte keine Angst vor Scherben oder Nägeln; sie selbst hatte Schutt und Müll ums Haus beseitigt und hielt die Wege sauber. Aber das Laufen mit bloßen Füßen war ungewohnt und machte sie unsicher – was würden die Füße als nächstes spüren? Dann machte es sie neugierig. Kam als nächstes glatte Erde, fest wie Stein, aber doch leicht federnd? Oder Kiesel, widerständig, piksend, kitzelnd? Oder ein dürrer Zweig, der knackend zerbrach? Margaretes Lieblingsweg durch den Park war grasbewachsen, und sie freute sich schon auf die weichen Strähnen des Grases unter ihren Füßen.

Sie ging am Haus vorbei. Als Christiane und sie das Anwesen vor zwei Jahren entdeckt hatten, hatte sie gleich das Gartenhaus für sich haben wollen. Nicht weil es trocken war und das Haus feucht und schimmlig – das wußte sie damals nicht. Das Haus war Margarete zu viel Geschichte, zu viel abgestandenes und aufgebrauchtes Leben. Die Feuchtigkeit und der Schimmel bestätigten ihr später nur, daß es von zu viel menschlicher Ausdünstung durchtränkt und verdorben war. Jetzt meinte Margarete, auch die Ausdünstung der Gäste zu spüren, als sondere das Haus sie ab. Ihre guten Absichten, ihre Pflichtschuldigkeit, ihr gleichzeitiges Sich-Einlassen und Sich-Entziehen, die Lügen, die sie einander und sich selbst auftischten, ihre Verlegenheit, ihre Hilflosigkeit. Margarete blickte auf keinen der Gäste hinab; über die Jahre hatte sie das ganze Spektrum der Reaktionen auf die Nähe zu Jörg bei Christiane erlebt, und Christiane war ihre Freundin. Vielleicht, sagte sie sich, bin ich den Gästen gegenüber auch nicht gerecht. Vielleicht sehe ich in ihnen, was in ihnen noch gar nicht zu sehen ist. Aber dann kommt's eben morgen.

Als Margarete und Christiane sich kennenlernten, lag der Prozeß gegen Jörg schon ein paar Jahre zurück. Anfangs erklärte Christiane nicht, warum sie alle zwei Wochen einen ganzen Tag weg war; sie mußte etwas besorgen, etwas erledigen, sich um etwas kümmern. Es waren die Monate, in denen die beiden Frauen dachten, sie könnten einander mehr sein als gute Freundinnen, und wenn Christiane morgens um fünf aufstand und aufbrach, blieb Margarete ängstlich und traurig alleine im Bett zurück. Später, als beide wußten, daß ihre Liebe ein Irrtum war und sie gleichwohl in der gemeinsamen Wohnung blieben, rückte Christiane mit Jörgs und ihrer Geschichte raus. »Ich weiß, er ist mein Bruder und nicht mein Lover, aber ich dachte damals, ich kann zu dir erst offen sein, wenn ich mit ihm im reinen bin. Aber ich hab's nicht geschafft. Ich habe ihm nicht gesagt, daß du und ich zusammen sind, und dir nicht, daß es ihn gibt. Blöd, nicht wahr?« Sie lächelte verlegen. Ebenso verlegen kam sie manchmal von den Besuchen bei Jörg zurück, verlegen, weil sie wieder nicht geschafft hatte, sich bei Jörg zu ihrem Leben draußen zu bekennen, wie sie draußen nicht bekannte, daß ihre Gefühle und Gedanken um ihn kreisten. Andere Male kam sie angestrengt zurück, weil sie Jörg nur als Pflicht erlebt hatte, und sie war das Lügen satt, das doch unvermeidlich war, weil ihre verschiedenen Leben, auf verschiedene Wahrheiten gegründet, den Brückenschlag der Lüge brauchten. Dann wieder litt sie unter der Hilflosigkeit, die sie Jörg, dem Gefängnis, dem Staat und ihrer eigenen Situation gegenüber fühlte, obwohl sie sich doch abstrampelte wie der Hamster im Gitterrad. Nein, Margarete sah auf keinen der Gäste herab, weil er mit der Nähe zu Jörg Schwierigkeiten hatte. Aber sie freute sich auf Sonntag, wenn das Haus wieder leer sein würde und sie allein.

Das Gras fühlte sich unter Margaretes Füßen noch besser an, als sie sich's vorgestellt hatte. Seine Strähnen waren feucht, glitschig, geschmeidig und luden ein, die Schritte gleiten zu lassen. Als Margarete es übertrieb, verlor sie die Balance und fiel auf den Rücken, daß es ihr für einen Moment den Atem nahm. Sie lag, die linke Seite tat ihr weh, und sie lachte. Über den Übermut ihrer Schritte und über den Hochmut, der vor dem Fall kommt. Hatte sie doch auf die Gäste herabgesehen? Sie war gern allein, und sie war viel allein. Wenn sie Menschen begegnete, waren sie ihr oft zutiefst fremd, unbegreiflich in ihrem Treiben, unheimlich in ihrer Sicherheit. War, was Margarete als Distanz der Fremdheit erlebte, in Wahrheit die Distanz des Hochmuts? Ihr Blick ging in die Zweige und in den Himmel, sie sah im Wind die Blätter zittern, und sie sah einen Stern wandern, bis sie verstand, daß es ein Flugzeug war. Dann hörte sie Krähen, ganz nah und ganz laut. Hatten sie einen Feind entdeckt und wollten ihn vertreiben, oder stritten sie? Wachten Krähen nachts auf und stritten? Wenn sie länger krächzten, würden sie das Haus aufwecken.

Margarete stand auf und ging weiter. Sie ging zu der Bank, auf der Ilse gesessen und geschrieben hatte, und setzte sich. Sie hatte die Bank hier aufgestellt. Lange hatte sie von einem Haus an einem See oder einem Fluß geträumt. Nun erfüllten Bank und Bach den Traum vom Leben am Wasser, und Magarete war's zufrieden. See oder Fluß hätte sie nicht für sich gehabt, den Bach hatte sie für sich.

Manchmal irritierte es sie, wie gerne sie sich zurückzog. Wie rund, wie leicht, wie heiter das Leben allein war. Bis zu der Flucht, zu der sich zwei Jahre vor der Wende plötzlich die Möglichkeit ergeben hatte, war sie anders gewesen, geselliger, kontaktoffener, kontaktbedürftiger. Aber im Westen fühlte sie sich nicht zu Hause, und als sie wieder in den Osten hätte gehen können, war auch er ihr fremd geworden. Ihre Arbeit als freie Übersetzerin brachte sie alle paar Wochen mit ihrem Lektor in Berührung, und wenn sie etwas nicht im Internet fand, mußte sie in der Staatsbibliothek recherchieren, auch das alle paar Wochen, und kam dabei gelegentlich mit einem anderen Benutzer ins Gespräch, manchmal sogar über einem Kaffee. Es gab die gemeinsame Wohnung mit Christiane. Aber seit es außerdem das gemeinsame Haus auf dem Land gab, lebte Margarete oft wochenlang allein im Gartenhaus.

Wurde sie, indem sie sich zurückzog, unfähig, mit anderen zu fühlen? Sie hatte Christiane in ihrer Sorge um Jörg zu begleiten versucht, und sie hatte sich auch vorgenommen, Jörg zu mögen und ihm zu helfen. Aber auch wenn sie das Verhältnis ihrer Freundin zu deren Bruder nach nächtelangen Erzählungen verstand – sie fand es krank und verstand es nur so, wie man eine Krankheit versteht. Sie fand auch Jörg krank. Muß nicht krank sein, wer Leute umbringt, nicht aus Leidenschaft und Verzweiflung, sondern klaren Kopfs und kalten Bluts? Hat, wer gesund ist, nicht einfach anderes und Besseres zu tun? Margarete hatte auch bei den Gesprächen über die RAF und den deutschen Herbst und die Begnadigung von Terroristen, die Christiane und ihre Freunde führten, wieder und wieder das Gefühl eines kranken Themas, eines Themas, bei dem über eine Krankheit gesprochen wurde, die damals die Terroristen befallen hatte und nun auch die Sprechenden befiel. Wie kann man gesunden Sinns erörtern, ob die Welt durch Mord eine bessere Welt wird? Ob die Gesellschaft durch Gnade für Mörder eine bessere Gesellschaft wird? Das alles tat einer häßlichen, abstoßenden Krankheit viel zu viel Ehre an. Nein, Margarete konnte nur das Mitgefühl haben, das man mit Kranken hat. War das zu wenig?

Es wurde morgenkühl, und Margarete hob die Beine auf den Sitz, zog das Nachthemd über die Füße und legte die Arme um die Knie. Bald würde es Tag werden. Beim ersten Schimmer des Sonnenlichts würde sie aufstehen, zurückgehen, sich noch mal hinlegen und noch mal einschlafen. Nein, das Mitgefühl, das sie mit Christiane und Jörg und auch den Gästen hatte, war nicht zu wenig. Es war kein Almosenmitgefühl, bei dem man gibt und zugleich das Weite sucht. Sie freute sich darauf, wieder allein zu sein. Aber jetzt waren die anderen da, und sie wollte tun, was sie konnte, damit die Kranken nicht noch kränker würden. Mit sich im reinen nickte sie ein, und der Kopf sank ihr auf die Knie. Als Kälte und Schmerzen sie weckten, wurde der Himmel im Osten hell.

Samstag

I

Zuerst taucht die Sonne die Krone der Eiche vor dem Haus in helles Licht. Jetzt werden die Vögel, die dort wohnen und schon schwatzen, seit die Dämmerung anbricht, laut. Die Amsel singt so kräftig und beharrlich, daß, wer im Eckzimmer schläft, aufwacht und nicht mehr einschlafen kann. Das Licht der Sonne wandert die der Straße zugewandte Seite des Hauses hinab, erreicht hinter dem Haus die andere Eiche, das Gartenhaus, die Obstbäume und den Bach. Es scheint auch auf den Verschlag an der Nordseite des Gartenhauses, aus dem Margarete ein Hühnerhaus mit -hof machen möchte. Sie würde gerne vom Schrei des Hahns geweckt.

Bis auf die Vögel sind die Morgen still. Die Glocken der Dorfkirche läuten erst um sieben, die Landstraße ist weit weg und die Bahnlinie noch weiter. Die LPG, deren Fahrzeuge am frühen Morgen zur Arbeit fuhren und aus deren Ställen der Wind das Muhen der Kühe herüberwehte, existiert schon lange nicht mehr; ihre Ställe und Schuppen sind leer, und ihr Boden ist verpachtet und wird von einem Hof im nächsten Dorf bewirtschaftet. Die Bewohner des Dorfs, die Arbeit haben, haben sie nicht hier; sie brechen am Sonntagabend auf und kommen am Freitagabend wieder zurück. Am Samstag- und Sonntagmorgen schlafen sie lange.

Die Morgen sind still, und sie sind melancholisch – wie die Mittage und die Abende, die Vor- und die Nachmittage. Sie sind melancholisch nicht nur im Herbst und im Winter, sondern auch im Frühling und Sommer. Es ist die Melancholie des hohen Himmels und des weiten, leeren Landes. An den Bäumen, dem Kirchturm, der Elektrizitätsleitung mit Mast und Drähten findet der Blick keinen Halt. Er findet keine Berge in der Ferne und keine Stadt in der Nähe, nichts, was Grenzen setzen und Raum schaffen würde. Er verliert sich. Der Besucher, der den Blick schweifen läßt, verliert sich mit ihm, und es macht ihn traurig und ist zugleich so zwingend, daß ihn die Sehnsucht ergreift, sich dareinzuschicken. Sich einfach zu verlieren.

Wer hier geboren und aufgewachsen ist und sich daranmacht, einen Beruf zu ergreifen und eine Familie zu gründen, muß sich entscheiden. Bleiben oder gehen. Klein bleiben unter diesem Himmel und in dieser Leere oder groß werden um den Preis des Lebens in der Fremde. Auch wer die Entscheidung nicht bewußt trifft, spürt, wenn er bleibt, daß sein Leben klein sein wird, noch ehe es wirklich begonnen hat, und wenn er geht, daß er nicht nur einen Ort, sondern ein Leben hinter sich läßt. Ein Leben, dessen kleiner Zuschnitt doch voller Schönheit ist – deshalb kommen die Besucher wieder und kaufen sich ein Haus oder einen Hof und geben der Sehnsucht, sich zu verlieren, am Wochenende nach. Daß der kleine Zuschnitt auch voller Häßlichkeit ist, stört sie nicht. Sie leiden nicht unter der Eintönigkeit, machen nicht die Erfahrung, daß sie, was sie tun, ebenso lassen können, werden nicht träge, werden nicht böse, verlieren sich nicht an den Alkohol.

So war es immer schon. Immer schon gab es die, die blieben, die, die gingen, und die, die teils in der großen Stadt und teils auf dem Land lebten. Immer schon ging es ums Sich-Dareinschicken oder Aufbrechen, und immer schon gelang es manchen, die sich's leisten konnten, die Melancholie zu genießen, ohne ihr zu verfallen. Margarete ärgerte sich über das Gerede vom Niedergang des weiten, leeren Landes zwischen der großen Stadt und dem Meer. Sie fand nicht, daß es im Sozialismus besser gewesen war oder, soweit sie darüber Bescheid wußte, unter der Herrschaft der Junker. Sie glaubte nicht, daß das politische und das wirtschaftliche System wichtig waren. Die Melancholie war wichtig. Sie prägte das Land und die Menschen mehr als alles andere.

Margarete war in einer benachbarten kleinen Stadt aufgewachsen und nach Berlin aufgebrochen, um nie zurückzukehren. Um fremde Sprachen zu studieren, in die Ferne zu reisen und in der Ferne zu bleiben. Aber schließlich war sie wieder hierhergezogen, zuerst nur für die Wochenenden, dann für Monate. Sie hatte sich mit Verspätung dareingeschickt und auch nicht ganz, weil sie noch die Wohnung mit Christiane in der Stadt hatte. Aber ihr Gartenhaus, ihre Bank am Bach, ihre Wanderungen, ihre Übersetzungen, ihr Alleinsein – es war eine Version des kleinen Lebens, vor der sie geflohen war, und sie wußte es. Sie haßte die Melancholie, wenn sie ihr eine Depression auferlegte. Aber meistens liebte sie die Melancholie. Sie traute ihr sogar zu, die Menschen zu heilen. Wer sich an den hohen Himmel und das weite, leere Land verliert, verliert auch, woran er leidet. Margarete hatte Zweifel, ob das Treffen mit den alten

Freunden eine gute Idee war. Aber es war gewiß richtig, daß Christiane den entlassenen Jörg erst einmal hierher brachte. Vielleicht würde seine Krankheit sich verlieren und auch die der anderen.

2

Jörg wachte vor allen anderen auf. Er wachte mit dem Gefühl auf, alles sei in Ordnung: sein Körper, sein Gemüt, der neue Tag. Dann erschrak er – wie er im Gefängnis erschrocken war, wenn er mit demselben Gefühl aufgewacht war und die Neonleuchte, die hellgrünen Wände, das Bekken, das Klo und das kleine, hohe Fenster sah. Aber jetzt waren die Wände weiß, standen Waschschüssel und -krug auf einer Kommode und Tulpen auf einem Tisch und kam frische Luft durch das große Fenster. Er war nur aus Gewohnheit erschrocken. Erleichtert verschränkte er die Arme unter dem Kopf und wollte Pläne machen – wie er im Gefängnis seine Tage gerne mit Plänen für die Zeit danach begonnen hatte. Aber jetzt, wo er Pläne nicht nur machen, sondern auch verwirklichen konnte, tat er sich schwer. Henner wegen seines Verrats stellen – soweit war er gestern schon gewesen. Warum fiel ihm sonst nichts ein? Er konnte sich Christianes und Markos Pläne anhören, und vielleicht hatten auch Karin und Ulrich und Andreas Pläne für ihn. Aber warum hatte er keine?

Ilse wußte, was sie wollte, sobald die Amsel in der Eiche sie weckte. Sie stand auf, zog sich an, nahm Heft und Stift und schlich auf Zehenspitzen über Gang, Treppe und Küche aus dem Haus. Im Park ging sie zur Bank am Bach. Sie schlug das Heft auf und las, was sie geschrieben hatte, drei kleine Kapitel in loser, falscher Folge. Sollte sie den Zusammenhang zwischen den Kapiteln herstellen? Sie konnte Jan dabei begleiten, wie er von den französischen Genossen im Krankenwagen abgeholt und nach Deutschland gebracht wurde, wie er zum zweiten Mal in den Zustand der Todesähnlichkeit versetzt, aufgebahrt und bei der Beerdigung im offenen Sarg ausgestellt wurde. Oder sollte sie das Kapitel mit Jan an der Küste überarbeiten? Jan mußte auf das Schweinesystem, die Ärsche aus Politik und Wirtschaft und die Scheißbullen schimpfen. Sie mochte so nicht schreiben. Aber wenn sie nicht schaffte, Jan wie einen Terroristen reden zu lassen, wie sollte sie schaffen, ihn morden zu lassen?

So leise Ilse auftrat – die unter ihren Zehenspitzen knarrenden Dielen drangen in Karins Schlaf. Im Traum war sie spät dran, wollte sich leise in die Kirche stehlen, wo die Gemeinde auf sie wartete, aber die Dielen verrieten ihren Gang, und alle Köpfe wandten sich ihr zu. Sie wachte auf. Ihr Mann schlief noch, und sie ließ ihn schlafen, so gerne sie ihn geweckt hätte. Sie betete, oder vielleicht war's eine Meditation oder ein Moment der Wahrheit. Stimmte, was sie am Abend gesagt hatte? Sah sie in den Terroristen ihre verirrten Brüder und Schwestern? Hatte sie brüderliche Gefühle für Jörg? Wollte sie sie haben? Meinte sie, sie haben zu müssen?

Auch Ingeborg wachte von den knarrenden Dielen auf. Sie hörte Ilses Schritten nach und wartete, ob noch mehr Schritte kämen und gingen. Aber es blieb still. Sie sah auf die Uhr und schubste ihren Mann. »Laß uns gehen, solange die anderen noch schlafen.«

Er schüttelte den Kopf, ärgerlich, daß sie ihn geweckt hatte und sich davonstehlen wollte. Sie ist schön, dachte er, aber wenn's schwierig wird, will sie sich drücken. Er sah sie an. Mit ihrem verschlafenen Gesicht war sie nicht einmal schön.

Sie insistierte. »Ich will mich nicht vor den anderen blamieren, mich nicht und meine Tochter nicht.«

»Niemand wird sich blamieren. Die anderen werden wahnsinnig rücksichtsvoll und zartfühlend sein. Und deine Tochter ist auch meine, und sie drückt sich nicht, sondern stellt sich.«

»Und wenn's wieder Krach gibt?«

»Dann gibt's wieder Krach.«

Sich-Drücken, Sich-Stellen – der Tochter war's beim Aufwachen egal. Der Abend war blöd gelaufen, aber sie hatte gut geschlafen, und jetzt war Morgen. So war es eben: Mal lief's mit den Männern, mal nicht. Das Leben ging weiter. Manchmal lief's heute mit einem Mann, mit dem es gestern nicht gelaufen war. Vielleicht würde sie dem großen Terroristen, der vor ihr in Panik geraten war, noch mal eine Chance geben. Immerhin war ihr das noch nicht passiert: Ein Mann gerät vor ihr in Panik!

Jörgs Panik beschäftigte auch Marko. Wieviel politische Power war von einem Mann zu erwarten, der angesichts eines nackten Mädchens die Panik kriegt? Seit vier Jahren war Marko an Jörg dran, um ihn, den Terroristen, der sich nicht von der RAF distanziert hatte, zum geistigen Kopf eines neuen Terrorismus aufzubauen. Er hatte gehofft, Jörg würde sich nach der Entlassung mit einem Paukenschlag politisch zurückmelden, einem Interview, einer Presseerklärung, nicht illegal, aber knallhart. Plänereich und tatenhungrig hatte er sich Jörg in Freiheit vorgestellt. Statt dessen war er müde und geriet in Panik. Vier Jahre Arbeit umsonst?

Andreas war Marko zunächst gerade recht gekommen: ein Rechtsanwalt, der sich darum kümmern konnte, daß Jörg beim Paukenschlag die Grenze der Legalität nicht überschritt. Dann hatten sie sich gestritten. Aber Marko setzte darauf, daß, wenn Jörg wollte, sein Anwalt sich nicht verweigern würde. Der sah das anders. Andreas hatte für Jörgs politische Albernheiten nichts übrig. Er hatte gedroht, er werde das Mandat niederlegen, wenn so was wie das Grußwort noch mal passierte. Bei einem Paukenschlag nach der Entlassung würde er nichts mehr mit Jörg zu tun haben. Eigentlich langte ihm schon der gestrige Abend. Ja, der Blick aus dem Bett in den Himmel war schön, beim Frühstück konnte er die Bischöfin auf den Arm nehmen, danach spazierengehen und Bäume anschauen. Aber doch nicht bis Sonntag!

Auch Henner graute vor den zwei Tagen, die er hier noch aushalten sollte. Beim Aufwachen war ihm das Gespräch mit Christiane in den Sinn gekommen und hatte ihn wieder traurig gemacht. Was für ein Leben! Und vom Nachdenken über ihr Leben war's nur ein kleiner Schritt zum Nachdenken über das eigene Leben. War es besser? Die Arbeit lief gut, und er hatte Erfolg, und wenn er an einer aufregenden Reportage war, war der Thrill so stark wie früher. Aber seine Beziehungen zu Frauen stimmten nicht. Es waren Beziehungen, die er weder begann noch beendete, sondern in die er hineinrutschte und aus denen er sich davonstahl. Es waren Frauen, die nicht er wollte, sondern die ihn wollten. Und obwohl er sich nach einer anderen Art von Beziehung sehnte, war er unfähig, Frauen anders zu begegnen und die richtigen zu suchen, statt sich von den falschen finden zu lassen. Das Wissen, daß das mit seiner Mutter zu tun hatte, half ihm nicht. Manchmal dachte er, mit dem Tod seiner Mutter werde er frei sein, hatte aber sofort Zweifel, ob es tatsächlich so kommen werde. Die Arbeit half, auch wenn sie das Problem nicht löste. Aber sie half nicht mehr so gut wie früher, und an diesem Wochenende gab's keine.

Als er in die Küche kam, machten Christiane und Margarete Frühstück. »Bin ich der erste?« Margarete nickte und gab ihm Kaffee und Mühle. Christiane schlug Eier auf, schnitt Zwiebeln und Schinken, Pilze und Tomaten klein und lächelte ihm kurz zu. Margarete stellte Geschirr und Besteck auf ein Tablett und trug es auf die Terrasse. Niemand redete. Dann fuhr Henner in die kleine Stadt am See und holte Brötchen. Als er zurückkam, saßen die anderen beiden auf der Terrasse, tranken die erste Tasse Kaffee und das erste Glas Prosecco, und er setzte sich dazu. Christiane lächelte ihm wieder kurz zu; jetzt sah er, daß es ein nervöses Lächeln war. Er wollte sie fragen, ob alles in Ordnung sei, ob sie gut geschlafen habe. Aber als Margarete Christiane die Hand auf den Arm legte, kam ihm seine Frage geschwätzig vor. So saßen sie schweigend, sahen in den Park, jeder allein mit seinen Gedanken.

3

Es wurde zehn, bis alle um den Tisch versammelt waren. Als letzte kam Dorle. Mit Pferdeschwanz, ohne Lippenstift und in weitem, weißem Leinenrock und weißer Leinenbluse sah sie frisch und lieb aus, und brav machte sie die Runde und begrüßte einen nach dem anderen mit der Andeutung eines Knickses. Ulrich war stolz. Seine Tochter hatte sich neu erfunden. An ihrer Schule war sie in einer Theatergruppe; er würde sie zusätzlich zum privaten Schauspielunterricht schicken.

Jörg hatte nur darauf gewartet, daß die Runde komplett war. »Ihr habt gestern alles mögliche von mir wissen wollen – ich wüßte auch gerne was von euch, genauer gesagt, von…«

Ulrich ließ ihn nicht ausreden. »Aber du hast gestern nicht gesagt, was ich von dir wissen wollte. Wie wär's heute?«

»Ich habe nicht…«

»Nein, du hast nicht, und dann kam dir meine Frau zu Hilfe, und du bist ins Bett geflüchtet.«

»Ich erinnere mich nicht an deine Frage, tut mir leid. Kann ich jetzt…«

»Nach deinem ersten Mord habe ich gefragt. Wie's dir bei ihm ging. Ob du bei ihm was fürs Leben gelernt hast.«

Diesmal mischte Ingeborg sich nicht ein, und auch die anderen hatten sich damit abgefunden, daß Ulrich nicht lockerließ. Alle sahen Jörg an.

Er hob die Hände, als wolle er reden und seinen Worten Nachdruck geben, und ließ sie sinken. Er hob sie noch mal und ließ sie noch mal sinken. »Was soll ich sagen? Im Krieg schießt und tötet man eben. Wie soll es einem da gehen? Was soll man da lernen? Wir hatten Krieg, und also habe ich geschossen und getötet. Bist du jetzt zufrieden?«

»War dein erster Mord nicht eine Frau, die dir ihr Auto nicht geben wollte? Als du eine Bank überfallen hattest und fliehen mußtest?«

Jörg nickte. »Sie hat ihr blödes Auto festgehalten, als sei es wunder weiß was. Ich hätte lieber nicht geschossen – es ging nicht anders. Und komm jetzt nicht damit, daß die Frau nicht mit mir im Krieg war und ich nicht mit ihr. Du weißt so gut wie ich, daß im Krieg nicht nur Soldaten sterben.«

»Kollateralschäden?«

»Was soll die Ironie? Sag mir, daß wir den falschen Krieg geführt haben, und ich werde dir nicht widersprechen – wir haben die Lage falsch eingeschätzt. Aber wir haben ihn nun einmal geführt, und wir haben ihn so geführt, wie man einen Krieg führt. Wie denn sonst?«

Karin sah Jörg traurig an. »Tut es dir leid?«

»Leid?« Jörg zuckte die Schultern. »Klar tut es mir leid, daß wir ein Projekt verfolgt haben, das nichts geworden ist. Ob es was hätte werden können – ich weiß nicht.«

»Ich meine die Opfer. Tun dir die Opfer leid?«

Jörg zuckte wieder die Schultern. »Leid? Manchmal

denke ich an sie, an Holger und Ulrich und Ulrike und Gudrun und Andreas und... an alle eben, die gekämpft haben und gestorben sind, und, ja, manchmal denke ich auch an die Frau, die ihr Auto nicht loslassen konnte, und den Polizisten, der mich festnehmen wollte, und an die Großkopferten, die für diesen Staat gestanden haben und für ihn gestorben sind. Es tut mir leid, daß die Welt nicht ein Ort ist, an dem nicht... daß sie ein Ort ist, an dem... Also natürlich sollte niemand kämpfen und sterben müssen, aber leider ist die Welt nicht so.«

»Die Welt ist schuld, ich verstehe. Warum kann die dumme Welt nicht so sein, wie sie sein soll?« Ulrich lachte. »Du bist wirklich ein Herzchen.«

»Hör mit deiner billigen Ironie auf. Du hast keine Ahnung, wovon Jörg redet. Haben die Bullen dich zusammengeschlagen? Haben sie dich im Bunker an Händen und Füßen gefesselt und zwei Tage in deiner Pisse und Scheiße liegenlassen? Haben sie dir das Essen reingewürgt, in Luftröhre und Bronchien, bis die Lunge kollabiert ist? Haben sie dich über Jahre Nacht um Nacht um den Schlaf gebracht? Und dann über Jahre ohne jedes Geräusch gelassen?« Marko beugte sich über den Tisch und fuhr Ulrich an. »Es war wirklich Krieg – Jörg hat sich das nicht ausgedacht. Damals hast du es auch gewußt – alle haben es gewußt. Wie viele Linke habe ich getroffen, die mir erzählt haben, daß sie damals beinahe auch beim bewaffneten Kampf gelandet wären! Sie sind's nicht, sie haben lieber andere kämpfen und scheitern lassen – stellvertretend. Ich verstehe noch, daß man vor dem Kampf Angst hat und sich raushält. Daß du tust, als hätte es den Krieg nicht gegeben, macht mich sprachlos.«

»Dafür redest du ganz schön viel. Für mich zieht niemand stellvertretend in den Krieg. Und erschießt stellvertretend Frauen, die ihre Autos nicht hergeben wollen, oder Fahrer, die Generaldirektoren rumfahren müssen. Für euch?« Ulrich sah in die Runde.

Karin wiegte den Kopf. Immer noch sah sie Jörg voller Trauer an. Sie wollte nicht glauben, was sie gehört hatte. Zugleich arbeitete sie daran, was er und was Marko und was Ulrich gesagt hatten, miteinander zu versöhnen. »Nein, Ulrich, auch ich habe niemanden stellvertretend für mich töten lassen. Aber daß wir die bürgerliche Gesellschaft hinter uns lassen müssen, wenn wir ein unkorrumpiertes Leben führen wollen, haben wir alle geglaubt. Und…«

»So ein Quatsch.« Andreas schnaubte verächtlich. »Wenn dir die Gesellschaft nicht paßt, kannst du ins Kloster gehen oder in der Provence Bienen züchten oder auf den Hebriden Schafe. Das ist doch kein Grund, Leute umzubringen.«

Karin gab nicht auf. »Hätten sich so viele von uns die Freiheit genommen, die Gesellschaft zu verlassen oder zu verändern, wenn es nicht als äußerste Möglichkeit den bewaffneten Kampf gegeben hätte? Er wurde nicht stellvertretend für uns geführt. Aber er hat den Raum, in dem wir handeln konnten, erweitert. Zugleich hat, wer im Kampf getötet hat, eine Schwelle überschritten, die er nicht hätte überschreiten dürfen. Wir dürfen nicht töten. Und wie du darüber redest, Jörg… Macht einen das Gefängnis so? So kalt? So grob? Ich bin sicher, in dir sieht's anders aus, als du dich gibst.«

Jörg setzte ein paarmal an, konnte sich aber nicht zu einer Antwort entschließen. Auch Karin machte keine Anstalten weiterzureden, auch nicht Ulrich, Marko und Andreas. Aber gerade als die anderen erleichtert anfingen, einander um die Brötchen zu bitten und die Marmelade zu reichen und über Wetteraussichten und Tagesvorhaben zu reden, sagte Jörg: »Ich will was von Henner wissen, wenn's jetzt recht ist.«

Henner lächelte Jörg an. »Warum so förmlich?«

»Noch jemand Kaffee?« Christiane stand auf und trat neben Henner.

»Wie fühlt sich das an: erst mich ins Gefängnis bringen und dann die Entlassung aus dem Gefängnis mit mir feiern?«

»Wovon redest du?«

»Du hast doch den Bullen erzählt, daß ich die Hütte im Odenwald habe – sie mußten dort nur noch warten, bis ich eines Tages...«

»Autsch!« Die Kanne war Christianes Hand entglitten, und der heiße Kaffee hatte sich auf Henners Hose und Füße ergossen. Henner sprang auf, nahm die Serviette und versuchte, sich zu reinigen.

»Komm mit.« Als Henner zögerte, nahm Margarete ihn bei der Hand und zog ihn zuerst in Richtung Küche. Dann änderte sie ihre Meinung und zog ihn in Richtung Gartenhaus. Henner begann zu protestieren, aber sie schüttelte nur den Kopf und zog ihn weiter.

»Was machst du?«

»Ich erklär's dir gleich.«

»Müssen wir...«

»Ja, wir müssen.«

4

Als Margarete und Henner vor dem Gartenhaus standen, ließ sie seine Hand los.

»Was jetzt?«

»Du ziehst deine Hose aus und eine von mir an. Dann waschen wir deine Hose und hängen sie auf.« Henner sah skeptisch auf ihre und auf seine Hüften. Margarete lachte. »Ja, ein bißchen weit wird sie sein, aber nicht sehr. Dicke Frauen sehen dicker aus, als sie sind.«

Er folgte ihr ins Haus und sah sich um. Der Flur führte von der Haustür geradewegs in die Küche, links sah er in ein großes Zimmer mit Schreibtisch, Drehstuhl und Treppe nach oben, rechts in eines mit offenem Kamin, Sofa und Sesseln. »Wo kann ich…«

»Wo du willst. Ich geh nach oben und hol die Hose.« Mit schweren Schritten stieg sie die Treppe hoch, er hörte sie eine Schranktür öffnen und schließen, und mit schweren Schritten kam sie wieder runter und gab ihm Jeans. Sie waren frisch gewaschen und fühlten sich rauh und sperrig an. Er wandte sich ab und zog sich um. Sie hatte recht; die Jeans waren weit, aber mit dem Gürtel ging's.

In der Küche zog sie eine Zinkwanne unter der Spüle hervor, warf seine Hose hinein, schraubte das eine Ende eines Schlauchs an den Wasserhahn und legte das andere in die

Wanne. Sie sah zum Kanister unter der Decke. »Ich hoffe, ich hab noch genug, sonst mußt du raus und die Pumpe anstellen.« Sie ließ Wasser einlaufen und gab ein paar Spritzer Spülmittel dazu.

»So wird die Hose sauber?«

»Keine Ahnung. Ich bringe meine Sachen in die Wäscherei.« Sie kniete nieder und schwenkte und knetete die Hose, bis das Wasser schäumte. »Wir lassen sie ein bißchen weichen, was meinst du?« Sie wollte sich aufrichten, ging aber mit einem Schmerzenslaut wieder in die Knie. Er beugte sich hinab, legte die Arme um sie und half ihr auf. Wie ein Baum, ging ihm durch den Kopf, wie wenn ich einen Baum umarmen und aufrichten würde. Als sie stand, lächelte sie ihn an. »Es ist die Bandscheibe. Ich habe sie nie beachtet. Zur Strafe hat sie sich davongemacht.«

Henners Arm lag noch um Margaretes Rücken. Als er ihn wegnahm, war er verlegen, weil er so lange damit gewartet hatte. »Kann man nicht operieren?«

»Ja, aber vielleicht geht's mir danach schlechter als davor.« Sie sah ihn prüfend an. »Was willst du machen?«

»Womit?«

»Mit Jörgs Frage.«

»Ihm erklären, daß es nicht stimmt. Ich habe ihn nicht ins Gefängnis gebracht, ich habe der Polizei nichts gesagt.«

»Bist du sicher?«

Er lachte auf. »So was vergesse ich doch nicht. Ja, ich habe mich damals manchmal gefragt, was ich machen würde, wenn er eines Nachts vor meiner Tür stehen und mich bitten würde, ihn vor der Polizei zu verstecken. Lange habe ich's nicht gewußt. Manchmal dachte ich so und manchmal so. Am Ende habe ich mich mit mir darauf geeinigt, ihn für eine Nacht aufzunehmen und am nächsten Morgen wegzuschicken. Zum Glück kam er nie.«

»Laß uns ein bißchen spazierengehen.« Margarete wartete nicht auf Henners Reaktion, sondern ging los, aus der Küche über die Wiese mit Obstbäumen zum Bach. Er zog die Schuhe an, die er beim Hosenwechsel ausgezogen hatte, und lief ihr nach. Als er sie erreichte, sagte sie: »Darf ich?«, nahm seinen rechten Arm und stützte sich darauf. Langsam gingen sie am Bach entlang. Manchmal sprang ein Frosch ins Wasser, den ihre Schritte aufgescheucht hatten, manchmal gurgelte das Wasser ein bißchen lauter. Wo der Wald nicht bis an den Bach reichte, gingen sie in stechend heißer Sonne. Henner spürte, daß die Seite, mit der Margarete sich an ihn lehnte, schweißfeucht wurde.

»Christiane hat der Polizei von der Hütte im Odenwald erzählt.«

Henner blieb stehen und sah Margarete an. »Christiane?«

»Ich denke, deshalb hat sie dir den Kaffee auf die Hose geschüttet. Damit du Jörg nicht sagen kannst, daß du's nicht warst.«

»Aber was ich ihm vorhin nicht gesagt habe, muß ich ihm später sagen.«

»Mußt du?«

»Du meinst...«

»Vielleicht ist es das, worauf Christiane hofft. Vielleicht will sie mit dir noch reden, dich darum bitten.«

Henner kratzte mit dem Fuß Steine los und kickte sie in den Bach. »Was für ein absurdes Theater. Die Schwester verrät den Bruder an die Polizei. Dann möchte sie, daß der

Freund des Bruders sagt, er sei's gewesen. Der Freund, der sie einmal geliebt und den sie sitzengelassen hat, weil sie den Bruder nicht verraten wollte.« Er sah sie an. »Hat Christiane dir gesagt, warum sie Jörg verraten hat?«

»Sie hat mir nicht einmal gesagt, daß sie ihn verraten hat. Aber ist es nicht klar? Daß sie die Angst um ihn nicht mehr aushielt? Daß sie wollte, daß er so überraschend gefaßt wird, daß er nicht mehr schießen und nicht mehr erschossen werden kann? Aus Angst hat sie ihn verraten, aus Liebe und Angst.«

»Und was habe ich damit zu tun?«

Sie versuchte, in seinem Gesicht zu lesen, ob er sich nur belästigt oder bedrängt fühlte. Er spürte ihren Blick und lächelte sie an. »Ich weiß es wirklich nicht. Schulde ich Christiane etwas? Muß ich ihr helfen, weil es mich nicht viel kostet? Was kostet es mich, wenn Jörg mich für einen Verräter hält?« Ihr Blick wurde zuerst erstaunt, dann spöttisch. Er sah es nicht. Er dachte und redete ernsthaft weiter. »Oder muß ich Christiane gerade dadurch helfen, daß ich sie vor ihm bloßstelle und von ihm befreie?«

»Oder mußt du Jörg dadurch helfen, daß du ihn von ihr befreist?«

Henner hörte den Spott in ihrer Frage. »Was ist los?«

»Hör auf! Du verhedderst dich doch nur. Mach, wonach dir ist – was Christiane und Jörg damit machen, ist deren Sache. Du tust gerade, als seien die beiden eine Rechenaufgabe, die du lösen kannst.«

Er ging weiter, und sie ging mit. Obwohl er nicht gekränkt sein wollte, war er es. Sie hatte, während sie standen, ihren Arm nicht von seinem genommen. Als er jetzt seinen

Arm wegziehen wollte, hielt sie ihn fest. »Das geht nicht. Du mußt mir zuerst zur Bank helfen und dann zurück zum Haus.« Sie lachte. »Du kannst es unter Protest tun.«

5

Nach dem Frühstück wollte Ilse weiterschreiben. Sie nahm Heft und Stift, ging zum Bach, sah aber schon von weitem, daß Margarete und Henner auf der Bank saßen. Sie machte einen Bogen durch den Wald. Als sie wieder an den Bach kam, war er fast doppelt so breit; zwischendurch mußte ein anderer Bach in ihn gemündet sein. Unter einer Weide lag ein Ruderboot, mit langer Kette an den Stamm geschlossen. Ilse setzte sich hinein und schlug ihr Heft auf.

Schließlich war alles vorbei. Der Angestellte des Beerdigungsunternehmens, den die Genossen gekauft hatten, befreite Jan aus dem Geräteraum und gab ihm die Tasche. »Du mußt über die Mauer, das Tor ist zu.« Es war dunkel. Jan stolperte über Grabsteine, erreichte die Mauer, kletterte an einem der Grabmäler hoch, die in die Mauer eingelassen waren, und setzte sich auf die Mauerkrone. Er sah in eine schwach beleuchtete Straße, an deren anderer Seite Gärten und weit dahinter, schon an der nächsten Straße, Häuser lagen. Jetzt begann sein neues Leben. Er warf die Tasche hinunter und sprang hinterher.

Nein, viel hatte Ilse am Morgen vor dem Frühstück nicht geschrieben. Aber sie hatte einen Entschluß gefaßt. Sie wollte es wissen. Entweder sie schaffte es, über das Schießen und Bomben und Töten und Sterben zu schreiben, oder sie würde Abschied von dem Projekt nehmen und sich etwas anderes suchen. Und mit dem Entschluß, es zu versuchen, war die Lust erwacht, es zu schaffen – nicht nur das Schreiben, sondern das Phantasieren. Ilse begann, sie schaudernd zu genießen: die Vorstellung der Explosion, die das Auto in die Höhe reißt, der Kugel, die ihren Flug zum Fenster nimmt, das Glas durchschlägt, das Opfer trifft und gegen die Wand wirft, der Pistole, die im Genick aufgesetzt und abgedrückt wird.

Er ging die Straße entlang, passierte mehrere parkende Autos, fand einen älteren weißen Toyota, schlug mit einem Stein die Scheibe ein, stieg ein, schloß die Zündung kurz und fuhr los. Es war seine Stadt, er kannte sich aus. Als er auf der Autobahn war und im Strom des Verkehrs schwamm, machte er die Tasche auf und sah hinein. Einen deutschen Paß hatten sie ihm hineingelegt, ein Bündel mit Fünfzigmarkscheinen, eine Pistole mit Munition, einen Zettel mit einem Datum, einer Uhrzeit und einer Telephonnummer. Am nächsten Morgen um sieben sollte er anrufen; er prägte sich die Telephonnummer ein, zerriß den Zettel in kleine Fetzen und ließ einen nach dem anderen vom Fahrtwind davontreiben. Bei einer Autobahnraststätte stellte er das Auto am Ende des Parkplatzes ab, nahm ein Zimmer und bat, um halb sieben geweckt zu werden.

Er dachte an das Leben vor ihm. Ein Leben auf der Flucht und ohne ein Ziel, an dem er anzukommen und auszuruhen hoffen konnte. Aber sei's, daß die Angst, nach der Betäubung nicht mehr aufzuwachen, seine Kraft, sich zu ängstigen, erschöpft hatte, sei's, daß mit dem Schritt ins neue Leben die alten Ängste ihre Evidenz verloren hatten – er fühlte sich leicht und frei. Endlich war mit den Halbheiten des alten Lebens Schluß. Endlich lebte er in der Selbstlosigkeit, Unbedingtheit, Eindeutigkeit des Kampfs. Er war frei, war niemandes Schuldner, zu keiner Liebe, keiner Freundschaft, keiner Rücksicht verpflichtet, nur zur Hingabe an die Sache. Was für ein Glück, was für ein Rausch der Freiheit!

Er wachte vom Weckruf auf, duschte und rief um sieben von der Telephonzelle an der Tankstelle die angegebene Nummer an. Um einundzwanzig Uhr sollte er in der Buchhandlung auf dem Münchner Bahnhof eine Frau treffen, blauer Mantel, schulterlanges dunkelblondes Haar, große Ledertasche über der Schulter und Frankfurter Allgemeine Zeitung *in der Hand. Er frühstückte und fand einen Lastwagenfahrer, der ihn mitnahm und an der Autobahnausfahrt München absetzte. Am frühen Nachmittag war er in der Stadt, kaufte eine Reisetasche und Kleider zum Wechseln und ging ins Kino. Gezeigt wurde ein französischer Film, eine lakonische und sentimentale Geschichte von Verstrickung und Abschied. Jan kam aus dem Kino und rief von der nächsten Telephonzelle zu Hause an – ein Tiefpunkt, den er sich danach nur vergab, weil er nichts sagte und rasch wieder auflegte.*

Um einundzwanzig Uhr traf er die Frau. Sie nahm ihn in ein Apartment in Schwabing mit, ein gesichtslos möbliertes Zimmer mit Koch- und Duschnische. Als sie ohne Perücke und Make-up aus der Toilette kam, erkannte er sie kaum wieder: ein kindliches Gesicht unter bürstenkurzem Haar. Sie erklärte ihm, was am nächsten Tag zu tun war. Dann wärmten sie Pizza im Backofen auf. Beim Essen redeten sie nicht – wichtig war nur, was zu tun war, und das war gesagt. Jan war über den exzellenten Rotwein erstaunt. Als er ihn auf der Zunge hatte, wollte er die Frau fragen, wie sie zu der Flasche kam. Nach dem Schluck ließ er es bleiben.

Dann legten sie sich ins Bett und schliefen miteinander. Jan huschten Erinnerungen an Ulla durch den Kopf. »Laß uns Liebe machen«, hatte sie ihn aufgefordert, wenn sie Lust hatte, und »Lieb mich« ihn angespornt, wenn sie kommen wollte. Gefühlig war es gewesen, klebrig. Jetzt war Jan, als tanzten die Frau und er in hellem, kaltem Licht einen perfekten Tanz. Was für eine Reinheit des Genusses, und wieder: Was für ein Rausch der Freiheit!

Sie blieben lange im Bett. Am Nachmittag fuhren sie mit der S-Bahn in den Vorort, liefen so selbstverständlich durch die Straßen, als seien sie auf dem Weg nach Hause, und gingen an der Villa des Vorsitzenden vorbei. Es sah alles aus, wie die Frau es Jan beschrieben hatte; Gartentor und -mauer waren nicht von Videokameras überwacht. Am Ende des Grundstücks stieg Jan in den Garten, schlich im Schutz der Büsche zum Haus, versteckte sich hinter dem Rhododendron neben der Eingangstür und wartete. Er hörte es klingeln, sah den Vorsitzenden den Gartenweg entlangkommen, gefolgt von seinem Chauffeur mit zwei Aktentaschen, sah die Frau des Vorsitzenden vor die Tür treten und ihren Mann begrüßen, sah den Chauffeur hineingehen und wieder herauskommen. Nach einer Weile hörte er es wieder klingeln und sah wieder die Frau des Vorsitzenden vor die Tür treten. Die Frau, die den Gartenweg entlangkam, winkte mit einem Umschlag. Als sie ihn unter der Tür übergab, zog Jan die Skimaske übers Gesicht, sprang auf, drängte die Frau des Vorsitzenden ins Haus, zwang sie auf die Knie und hielt ihr die Pistole an den Kopf. Dabei schrie er: »Machen Sie keinen Quatsch, machen Sie keinen Quatsch!« Er schrie sie an und schrie ihren Mann an, der am Fuß der Treppe stehenblieb, begütigend die Hände hob und »Beruhigen Sie sich, bitte, beruhigen Sie sich!« sagte. Beide wehrten sich nicht, als sie gefesselt wurden. Die Frau fing an zu weinen, ihr Mann redete weiter. Als Jan es nicht mehr hören konnte, stopfte er der Frau den Schal in den Mund, den ihr Mann gerade abgelegt hatte. Der sah mit entsetzten Augen, wie seine Frau würgte, und hörte auf zu reden. Jan führte ihn die Treppe hoch. »Der Safe ist im Schlafzimmer«, sagte der Mann, und Jan führte ihn ins Schlafzimmer und setzte ihn auf einen Stuhl. »Hinter…«

Er hätte gesagt, hinter welchem Bild oder welchem Möbel oder in welchem Schrank hinter den Kleidern der Safe zu finden und wie er zu öffnen war. Später dachte Jan, er hätte immerhin in den Safe schauen sollen – die Aufgeregtheit des Anfängers. Er setzte die Pistole an den

Hinterkopf des Mannes und schoß, und im Augenblick des Abdrückens machte er die Augen zu, kniff sie zu, und es schüttelte ihn, und er mußte an sich halten, um nicht noch mal und noch mal zu schießen. Er machte die Augen auf und sah den Mann nach vorne und vom Stuhl sinken. Er konnte sich nicht dazu bringen, neben ihm niederzuknien und die Hand an seinen Puls zu legen. Er sah das Blut fließen, tippte den Mann mit dem Fuß an, zuerst sachte, dann fester, bis er von der Seite auf den Rücken glitt und seine Augen ins Zimmer, zur Decke, auf Jan richtete. Jan blieb stehen und starrte auf den Toten.

Er hörte das Rufen der Frau nicht und nicht ihre Schritte auf der Treppe. Er hörte nichts, bis die Frau ihn am Arm packte. »Was ist mit dir los? Wir müssen weg.« Er sah auf, sah sie an und nickte. »Ja, wir müssen weg.«

Ilse war selbst, als wache sie aus einer Betäubung auf. *Das ist mein Werk*, wollte sie Jan beim letzten Blick ins Schlafzimmer und beim Weg vorbei an der weinenden Frau des Vorsitzenden noch denken lassen. Kalt und stolz sollte er es denken und zugleich mit einem Schauder des Entsetzens. So, wie sie auf ihr Werk sah.

6

Als Christiane das Frühstücksgeschirr abgeräumt und abgewaschen und in den Zimmern die Waschschüsseln geleert und die Waschkrüge gefüllt hatte, ging sie wieder auf die Terrasse. Alle waren gegangen. Auch Karin und ihr Mann, die ihr in der Küche geholfen und sich dann wieder auf die Terrasse gesetzt hatten, waren verschwunden.

Christiane hatte Pläne gemacht: für eine Bootsfahrt auf dem nahen See, ein Picknick im Park, Tanz auf der Terrasse. Aber wie sie allein auf der Terrasse stand, hatte sie kein Vertrauen mehr, daß jemand an ihren Plänen interessiert war. Sie hatte auch Angst davor, alle wieder zusammenzubringen. Jörg würde Henner wieder des Verrats beschuldigen, und Henner – was würde Henner sagen? Was würde Jörg sich zusammenreimen, wenn Henner die Beschuldigung zurückwies?

Sie ertappte sich dabei, wie sie Jörg ins Gefängnis zurückwünschte. Oder doch an einen Ort, an dem er sicher war – sicher vor Informationen, die ihn verwirrten, vor Kontakten, die ihn verführten, vor Gefahren, denen er nicht gewachsen war. Die meisten Jahre im Gefängnis waren keine schlechte Zeit gewesen. Am Anfang war's schlimm, als die Gefängnisverwaltung Jörg kleinkriegen wollte und er aggressiv und renitent und mit Hungerstreiks gegen die Gefängnisverwaltung kämpfte. Aber dann lernten beide, einander in Ruhe zu lassen, die Gefängnisverwaltung Jörg und Jörg die Gefängnisverwaltung. Jörg war beinahe glücklich. Und er war nie so der Ihre wie in den Jahren im Gefängnis.

Sie ging vors Tor. Ulrichs Mercedes und Andreas' Volvo waren weg – in den beiden großen Wagen konnten alle ihre Gäste zu einem Ausflug aufgebrochen sein. Enttäuscht, besorgt und erleichtert ging sie ins Haus, griff einen Liegestuhl und wollte sich auf die Terrasse legen. Aber da war schon jemand; Christiane erkannte die Stimmen von Jörg und Dorle. Sie stellte den Liegestuhl ab, ging auf Zehenspitzen durchs Zimmer und lehnte sich neben der offenen Flügeltür an die Wand.

»Ich war einfach furchtbar enttäuscht. Deshalb war ich so gemein. Es tut mir leid.«

Jörg sagte zunächst nichts. Christiane stellte sich vor, wie er ein paarmal schluckte und die Hände hob und fallen ließ. Dann räusperte er sich. »Natürlich sehe ich, was für ein... eine tolle Frau Sie sind. Ich kann einfach nicht.«

»Ich bin nicht ›Sie‹, ich heiße Dorle.« Sie lachte weich. »Dorothea – ich bin ein Geschenk der Götter. Nimm mich. Wenn du im Gefängnis mit Männern zusammen warst und jetzt... ich mag das.« Sie lachte wieder ihr weiches Lachen. »Ich mag in den Arsch gefickt werden.«

»Ich... ich bin...« Er sagte nicht, was er war. Er weinte. Er weinte mit den kläglichen, stoßenden Lauten, mit denen er schon als Kind geweint hatte. Christiane erkannte sie wieder, und sie ärgerte sich wieder. Wenn ihr Bruder schon weinen mußte, sollte es ein kraftvolles, männliches Weinen sein. Dorle war nicht so. »Weine, mein Kleiner«, sagte sie,

»weine.« Als er nicht aufhörte, redete sie weiter. »Ja, mein Kleiner, ja. Es ist zum Weinen, alles ist zum Weinen, alles. Mein Tapferer, mein Trauriger, mein Unglücklicher, my little boy blue.« Schließlich ärgerte der tröstende Singsang Christiane so, daß sie dazwischenfahren wollte. Wollte Dorle, wenn sie nicht damit prahlen konnte, daß sie mit dem berühmten Terroristen geschlafen hatte, damit angeben, daß er bei ihr geweint und sie ihn getröstet hatte? Aber als Christiane auf die Terrasse trat, sah sie die beiden. Jörg saß steif auf seinem Stuhl, die Augen geschlossen und vom Weinen geschüttelt, und Dorle stand hinter ihm und beugte sich über ihn, hatte die Arme um seine Brust gelegt und wiegte ihn. Jörg in seinem Schmerz und Dorle in ihrem Versuch, ihn zu trösten, sahen so hilflos aus, daß Christiane doch nicht dazwischenfahren mochte.

Also stahl sie sich davon. Im Flur stieß sie mit Marko zusammen. »Ich hab dich gesucht.« Er grinste sie an. »Wir müssen reden.«

»Weißt du, wo die anderen sind?«

»Die beiden Ehepaare und Andreas sind zu einer Ruine gefahren. Sie bleiben nicht lange. Aber du und ich brauchen auch nicht lange.«

»Muß es jetzt sein?«

»Ja.« Marko drehte sich um, ging in die Küche und lehnte sich an den Spülstein. »Ich habe eine Erklärung vorbereitet, die ich für Jörg morgen an die Presse geben möchte. Jörg wird zögern.«

Christiane ärgerte sich schon, daß sie Marko in die Küche gefolgt war. Jetzt sollte sie auch noch seine fixen Ideen anhören! »Ich werde ihm abraten. Sonst noch was?«

Er grinste sie wieder an. »Ich weiß nicht, wie du's in Zukunft gerne hättest zwischen dir und Jörg. Hängst du an ihm? Er hängt an dir – noch.«

»Ich rede mit dir nicht über meinen Bruder.«

»Nein? Auch nicht, ehe ich mit deinem Bruder über dich rede? Oder kriege ich dann Kaffee übergeschüttet?«

Christiane schüttelte müde den Kopf. »Laß mich in Ruhe.«

»Mach ich. Du sorgst dafür, daß er die Erklärung rausgehen läßt. Ich kann nicht verhindern, daß er, wenn Henner den Vorwurf zurückweist, zwei und zwei zusammenzählt und dahinterkommt, daß du ihn verraten hast. Wenn's nur jemand von ganz früher gewesen sein kann und wenn's der alte Freund nicht war... Aber ich werde nichts sagen.« Er lachte. »Das mit dem Kaffee war echt dumm. Vielleicht hätte Henner sich so ungeschickt gegen Jörgs Vorwurf gewehrt, daß der ihm nicht geglaubt hätte. Manchmal klingen Wahrheiten wie Lügen.«

»Laß mich in Ruhe.«

»Morgen muß die Erklärung an die Presse, und wenn du ihn morgen früh nicht soweit hast, muß ich ihn soweit kriegen. Und ich kriege ihn soweit, wenn ich ihm erzähle, was du gemacht hast.« Marko sah Christiane auf einmal ernst an. »Was hat dich eigentlich geritten? Angst um Jörg? Besser im Gefängnis leben als in Freiheit sterben? Ich versteh's nicht.« Er zuckte die Schultern. »Ist auch egal.« Er löste sich vom Spülstein und ging aus der Küche.

Kann ich Marko aus dem Haus schmeißen? Kann ich Henner dazu bringen, den Verrat auf sich zu nehmen? Kann ich ihn so diskreditieren, daß Jörg ihm nicht glaubt?

Kann ich Andreas ins Spiel bringen? Kann ich die Erklärung entschärfen? Kann ich weglaufen? Kann ich Jörg begreiflich machen, warum ich tun mußte, was ich getan habe?

Christiane erinnerte sich daran, wie sie der Polizei den Hinweis gegeben hatte. Sie hatte ihn anonym gegeben, und das war ein bißchen, als hätte nicht sie ihn gegeben, sondern als hätte er sich selbst gegeben. Sie erinnerte sich an die Erleichterung, als Jörg im Gefängnis in Sicherheit war. Sie erinnerte sich an die Angst, solange er frei war. Es war nicht die Angst, die man um einen hat, der das Bergsteigen oder Drachenfliegen oder Rennfahren nicht läßt. Es war ein Knoten in Christianes Bauch, der Angst und Schmerz und Schuld zusammenschnürte. Der Schmerz, Jörg schon verloren zu haben, die Angst, ihn vollends zu verlieren, die Schuld, weil sie, die große Schwester, den kleinen Bruder mit einem bloßen Hinweis retten konnte, aber nicht rettete. Auch mit dem Verrat lud sie Schuld auf sich. Aber was zählte diese Schuld gegen Jörgs Leben!

Dann kamen die Gefängnisjahre, in denen sie Jörg alles gegeben hatte. Christiane hatte gedacht, damit hätte sie den Preis für die Schuld des Verrats bezahlt. Das genügte nicht? Sie sollte jetzt auch noch um Jörgs Liebe gebracht werden? Wenn es denn so kommen würde, sollte es so kommen. Christiane merkte erstaunt, daß sie, was bisher undenkbar gewesen war, denken konnte, ohne daß die Welt stillstand und das Leben endete.

7

Sie ging an die Stelle im Park, an der ihr Telephon funktionierte. Früher war hier ein Teich gewesen, und wie jedesmal, wenn sie telephonierte, fragte Christiane sich, ob der Boden noch feucht und die Feuchtigkeit für den Empfang verantwortlich war. Sie träumte davon, die Ableitung vom Bach zur Mulde des Teichs und von der Mulde zurück zum Bach zu erneuern und den Teich wieder zu füllen.

Sie rief Karin an. Sie hatte die Lust an ihren Plänen verloren und redete Karin zu, noch zu dem Schloß am See zu fahren, das nicht mehr weit war. »Laßt euch Zeit. Ich richte den Aperitif auf sechs.«

Auf dem Rückweg sah sie durch die Bäume Margarete und Henner auf der Bank am Bach sitzen. Zuerst versetzte es ihr einen Stich, dann fügte es sich in ihre Stimmung von Entsagung und Abschied. Niemand würde ihr bleiben von denen, die sie liebte. Bleiben würden ihr die Arbeit und die Wohnung in der Stadt und das Haus auf dem Land. Die Arbeit mit Patienten und Kollegen – das war in Ordnung. Aber Wohnung und Haus hatte sie mit jemandem zusammen genießen wollen, mit Margarete, mit Jörg, mit – es war ihr seit der letzten Nacht ein paarmal durch den Kopf gegangen –, mit Henner.

Sie ging ums Haus und durch das Tor auf die Straße. Ihr

Nachbar, der ehemalige Vorsitzende der LPG, der in einer großen Scheune und auf einer großen Wiese seine Sammlung alter landwirtschaftlicher Geräte zur Schau stellte und in der Hoffnung auf Besucher am Zaun lehnte, sprach sie an. Habe der junge Mann den Weg zu ihr gefunden? Höflich sei er gewesen, habe gegrüßt, sich bedankt und verabschiedet. Christiane freute sich, daß der Nachbar mit ihr redete. Obwohl sie inzwischen seit drei Jahren hier wohnte, grüßte er sie sonst nicht und war damit als ehemaliger Amtsinhaber das Vorbild für andere Bewohner des Dorfs. Aber als sie fragte, ob der junge Mann wie ein Reporter gewirkt habe, spürte sie sofort Mißtrauen und Ablehnung. Worüber es denn aus dem Schloß zu berichten gebe? Was an diesem Wochenende eigentlich los sei? Warum so viele Autos vor dem Tor parkten? Sie erzählte von ihren alten Freunden, die sich lange nicht gesehen hätten und endlich bei ihr träfen. Er machte drohende Andeutungen; wenn hier etwas nicht mit rechten Dingen zugehe und die Reporter nicht selbst drauf kämen, könne man es ihnen auch stecken.

Christiane ging weiter, vorbei an dem verfallenen Pfarrhaus, an der Kirche, die seit Jahren und noch auf Jahre renoviert wurde, an der alten Station für das Wechseln der Postpferde, am Dorfanger mit dem Denkmal für die gefallenen Soldaten. Sie traf keinen Menschen. Als sie am Wartehäuschen der Bushaltestelle vorbeiging, saßen drei Jungen auf den Plastiksitzen, tranken Bier, sahen Christiane wortlos an und jagten ihr mit ihrer unerwarteten Anwesenheit einen Schrecken ein. Ja, sie war ein Fremdling hier – es paßte zu ihrer Stimmung.

Sie hielt nach dem jungen Mann Ausschau, von dem ihr

Nachbar gesprochen hatte. Lief er auch durchs Dorf? Fragte er die Leute über sie aus? Hatte er herausgefunden, daß Jörg begnadigt war und daß sie, seine Schwester, hier lebte? Sie sah bei jedem parkenden Auto auf das Nummernschild – ein Reporter würde wohl aus Berlin oder Hamburg oder München kommen. Dann fand sie ihr Ausschau-Halten unwürdig und verbot es sich. Sie war auch ihre Entsagungs- und Abschiedsstimmung leid. Fröhlichsein ging nicht, aber zum Traurigsein gesellte sich Trotz. Sie wollte schon mit ihnen fertig werden, den Reportern und Markos und jungen Gören, und wenn die, die sie liebte, sie nicht wollten, sollte sie der Teufel holen.

Der stolze Trotz hielt an, bis sie wieder auf der Straße zu ihrem Haus war. Sie war nicht lang, aber trostlos: auf der einen Seite das verfallene Pfarrhaus, die rostenden landwirtschaftlichen Geräte, die schadhafte Mauer von Christianes Grundstück, auf der anderen graue, unbenutzte Lager und Schuppen der LPG. Die Straße war nicht gepflastert; mit jedem Schritt wirbelte Christiane hellen Staub auf, der lange genug über dem Boden hing, um ihr wie eine Schleppe zu folgen. Als hinge mir der Mantel der Vergangenheit von den Schultern, dachte sie, als sie sich umdrehte – und die Angst war wieder da, die Angst, Jörg zu verlieren, Margarete zu verlieren und nichts mehr zu haben als die Arbeit. Es war nicht heiß, aber die Sonne stach, und Christiane war auf einmal danach, denen, die ihr weh taten, weh zu tun.

Auf der Terrasse saßen Dorle und Marko. »Jörg ist zum Schlafen auf sein Zimmer gegangen. Marko erzählt mir gerade, was für ein Held Jörg ist und daß die Welt eine Erklärung zu lesen kriegen soll, aus der sie's endlich begreift.« Sie lächelte Christiane an, von Frau zu Frau, die beide wissen, daß Männer keine Helden sind, sondern kleine oder allenfalls große Jungen. Dann lächelte sie Marko an: »Kannst du mir erklären, warum der Held um Gnade gebeten hat?«

Christiane mochte eigentlich weder hören, wie Marko für seine Presseerklärung warb, noch von Dorle zur Komplizin gemacht werden. Aber dann setzte sie sich doch.

»Er hat nicht um Gnade gefleht. Er hat einen Antrag gestellt, wie man eben Anträge auf Urlaub oder Führerscheine oder Baugenehmigungen stellt. Warum auch nicht?«

»Heißt Gnade nicht: Mir geschieht's eigentlich recht, aber ich bitte recht schön, daß man mir's erspart?«

»So mögen die anderen es sehen. Für den Revolutionär geht es einfach um die Chance, rauszukommen und weiterzukämpfen. Wenn sich die Chance bietet, ergreift er sie. Er flieht, und für die Flucht trickst und lügt er, er kämpft vor Gericht und geht von der ersten in die zweite und dritte Instanz, er stellt Anträge.«

»Was für ein Quatsch.« Christiane wurde wütend. »Jörg hat vor Gericht nicht gelogen, um besser wegzukommen. Er hat im Gefängnis nicht jeden Antrag gestellt, der's ihm leichter gemacht hätte. Er war im Hungerstreik, mehr als einmal.«

Marko nickte. »Hungerstreik ist Teil des revolutionären Kampfs. Selbstmord ist Teil des revolutionären Kampfs. Sie demonstrieren vor der Welt, daß der Staat über die Gefangenen nicht verfügen kann, daß sie nicht Objekt sind, sondern Subjekt. Und daß ihr Kampf selbstlos ist, wenn nötig selbstzerstörerisch, selbstmörderisch. Ich habe nicht gesagt, daß der Revolutionär alles dafür gibt, rauszukommen. Wenn der Kampf im Gefängnis geführt werden kann, führt er ihn im Gefängnis. Aber die Zeiten der Hungerstreiks und Selbstmorde sind vorbei. Der Kampf muß draußen geführt werden. Deshalb hat Jörg den Antrag gestellt.«

»Na ja. Ich finde, ein Gnadengesuch demonstriert vor der Welt, daß der Staat verfügen kann und bitte freundlich verfügen soll. Ist doch auch okay. Wer hat was davon, wenn Jörg im Gefängnis verschimmelt?« Dorle gähnte und stand auf. »Ich glaube, ich lege mich auch aufs Ohr. Wann geht das Programm weiter?«

»Um sechs gibt's den Aperitif. Aber ich kann Hilfe brauchen – kommst du um fünf in die Küche?«

Dorle nickte und ging. Ging sie zu Jörg? Christiane war es egal. Dorle würde ihr Jörg nicht wegnehmen. Die Gefahr drohte von Marko.

Er faßte sofort nach. »Verstehst du jetzt? Ohne eine Erklärung sehen's alle wie Dorle. Jörg, den sie kleingekriegt haben, Jörg, der klein beigegeben hat. Du kannst doch nicht wollen, daß das von ihm bleibt! Und wie soll er damit weiterleben? Dann war sein ganzes Leben nichts.«

»Laß das doch seine Sache sein. Warum willst du ihn unter Druck setzen?« Aber schon als sie es sagte, verstand sie Marko. Sie sah wieder Jörgs belebtes Gesicht vor sich, als Marko ihn in der letzten Nacht gerühmt und gefordert hatte, und sie hörte wieder, wie beredt Jörg auf dem nächtlichen Spaziergang durch den Park vom Vermächtnis des Kampfs gesprochen hatte. Zugleich sah sie Jörg mit den hängenden Schultern, dem schleppenden Gang und den fahrigen Handbewegungen vor sich. Marko hatte begriffen, daß es ohne Druck zufällig wäre, ob Jörg sich für oder gegen die Erklärung entscheiden würde. »Kann ich sie lesen?«

»Klar.« Marko griff in seine Hemdtasche, faltete zwei Seiten auf und gab sie ihr. Sie las vom revolutionären Kampf in Deutschland, der nicht geendet hat, sondern erst beginnt, der global ist wie Wirtschaft und Politik, der kulturelle und religiöse Schranken überwindet, der neue Organisationsformen findet und andere Mittel einsetzt als in den siebziger und achtziger Jahren. Der Text endete: »Das System kann sich vor der Revolution nicht hinter seinen Lügen verstekken, es kann verwundet, entwaffnet, überwunden werden. Die Provokationen, unter denen sich das System entlarvt, die Explosionen, die seine Verwundbarkeit offenbaren, die Attentate, die die Schutzlosigkeit derer zeigen, die auf es bauen und von ihm leben, die Anschläge, die Furcht verbreiten und die Menschen zum Nach- und Umdenken zwingen – sie sind nicht von gestern. Der Kampf geht weiter.«

Sie sah, was Marko versucht hatte: einen Text zu entwerfen, der zur Handlung aufrief und Führung anbot, aber auch als bloße Analyse und Prognose gelesen werden konnte. War der Versuch gelungen? War er juristisch hieb- und stichfest? Christiane gab Marko die Seiten zurück. »Andreas wird's nicht machen. Also finde einen anderen Anwalt, der den Text anschaut. Solange der kein grünes Licht gibt, werde ich dafür sorgen, daß Jörg die Erklärung nicht abgibt, koste es, was es wolle. Ja, ich weiß, daß Samstag ist. Aber wenn du dich gleich aufmachst, wirst du bis morgen schon einen Anwalt finden.«

Er sah sie mißtrauisch an. »Du willst doch nicht...«

»... Jörg entführen oder einschließen, so daß du ihn morgen nicht erreichen kannst?« Sie lachte. »Wenn es helfen würde. Aber das tut es nicht, also keine Angst.«

»Sagst du...«

»Ich sage Jörg, daß du weg bist. Daß du in die Stadt gefahren bist und mit einem Anwalt über eine Erklärung redest, die du ihm vorlegen möchtest. Daß du heute abend oder morgen früh wiederkommst. Okay?« Christiane sagte es ausgesucht freundlich. Beide wußten, daß sie die Runde gewonnen hatte.

Marko schluckte seinen Ärger runter, nickte und stand auf. »Dann bis später.«

8

Auch Henner verabschiedete sich von Margarete: »Bis später.« Er hatte sie am Arm zur Bank geführt, sie hatten auf der Bank gesessen und auf den Bach gesehen, und er hatte sie am Arm wieder zurück zum Gartenhaus geführt. Unter der Tür nahm sie ihren Arm von seinem und ging hinein; er drehte sich um und ging davon.

Aber nach wenigen Schritten kehrte er um und riß die Tür auf, die sie gerade hinter sich zugezogen hatte. »Margarete!« Sie wandte sich um, und er nahm sie in die Arme. Sie zögerte einen Augenblick, dann legte auch sie die Arme um ihn. Sie küßten sich nicht, sie sagten nichts, sie standen und hielten sich. Bis er zu lachen anfing und immer lauter lachte und sie ihn von sich schob und fragend ansah.

»Ich bin froh.«

Sie lächelte. »Das ist schön.«

Er zog sie wieder an sich. »Du fühlst dich gut an.«

»Du dich auch.«

»Und du bist die erste Frau in meinem Leben, der ich den ersten Kuß gebe.« Er küßte sie, und wieder zögerte sie einen Augenblick, ehe sie die Augen schloß und seinen Kuß annahm und erwiderte.

Nach dem Kuß fragte sie: »Die erste Frau?«

»Sonst haben die Frauen mir den ersten Kuß gegeben.

Frauen, die ich nicht küssen wollte oder bei denen ich nicht wußte, ob ich's wollte, oder bei denen ich's wollte, aber noch nicht so schnell.« Er lachte. »Ich bin doppelt froh. Weil du dich so gut anfühlst und weil ich dich geküßt habe. Dreifach. Weil der Kuß so schön war.«

»Komm mit!« Sie stiegen die Treppe hoch. Der Dachboden war ein großer Raum mit Schornstein, Schrank und Bett und einem einzigen Fenster an der Stirnwand. Es war dunkel, es war heiß, die Luft stand. »Ich muß mich hinlegen. Magst du dich dazusetzen?«

Sie legte sich in Rock und T-Shirt aufs Bett, er setzte sich an den Rand. Er sah auf ihr Gesicht mit den braunen Augen, der breiten Nase und dem geschwungenen Mund und auf das braune Haar, das an den Wurzeln grau nachwuchs. Sie nahm seine Hand.

»Ich war bis Dienstag in New York auf einer Konferenz, Fundamentalismus und Terrorismus. Am zweiten Abend war ich mit einer Frau zum Essen, einer Professorin aus London, und als ich sie zu ihrem Hotel gebracht und mich verabschiedet hatte, nahm sie meinen Kopf und küßte mich auf den Mund. Vielleicht hatte es nichts zu bedeuten und war nur eine Variante des üblichen Begrüßungs- und Abschiedskusses. Aber auf dem Weg in mein Hotel habe ich zum ersten Mal in meinem Leben über das Küssen nachgedacht. Hast du schon mal übers Küssen nachgedacht?«

»Mmh.« Er wartete, aber sie redete nicht weiter.

»Bei uns zu Hause gab's von den Eltern Küsse auf den Mund, die ich kaum ertragen habe. Natürlich waren sie lieb gemeint. Aber wenn mein Vater und meine Mutter mich nach den Ferien am Bahnhof abholten und als Willkommensgruß auf den Mund küßten, wurde ich innerlich ganz kalt. Statt Nähe schufen die Küsse Ferne. Wenn mein Vater, dem Körperpflege nicht wichtig war, auch noch roch, dann hätte ich mich schütteln mögen. Jetzt ist mein Vater schon lange tot. Meine Mutter lebt alleine, ich besuche sie alle paar Wochen. Jedesmal küßt sie mich zur Begrüßung auf den Mund, und sie tut es so... Warum erzähle ich dir das? Rede ich zuviel? Soll ich aufhören? Nein? Sie gibt mir den Kuß so fordernd, so drängend, so gierig – es erinnert mich an ein gewöhnliches Mädchen, das sich an einen Mann schmeißt, der nichts von ihr wissen will.

Die Körperlichkeit meiner Eltern... Als ich ein kleiner Junge war, ist mein Vater ein- oder zweimal mit mir ins Schwimmbad gegangen und hat mich zum Umziehen in seine Umkleidekabine mitgenommen. Die Nacktheit meines Vaters, sein weiches weißes Fleisch, sein Geruch, seine unsaubere Unterwäsche – es stieß mich so stark ab, daß ich ein schlechtes Gewissen hatte. Ich habe seinen nackten Körper später nie mehr gesehen, nur den meiner Mutter. Manchmal habe ich sie zum Arzt begleitet, und sie hat sich ausgezogen und ihre schlaffe, hängende Haut und ihre krummen Knochen entblößt. Wieder war ich abgestoßen, spürte aber auch Mitleid. Das Schlimmste ist, wenn ich bei ihr bin und sie den Darm nicht mehr kontrollieren und den Stuhl nicht mehr halten kann. Dann geht es ins Bett oder in die Kleider oder im Badezimmer auf den Boden und die Wände – ich weiß nicht, mit welchen verzweifelten Bewegungen sie es derart verteilt. Weil sie sich schämt, sagt sie zunächst nichts, aber dann riecht's und ist nicht mehr zu verbergen, und ich wasche die angetrocknete Scheiße ab. Ich sage nur Freundliches und Tröstendes und höre nicht auf, bis alles wieder ganz sauber ist. Aber in mir ist nichts als Ekel und Kälte und Zähne-Aufeinanderbeißen. Ich habe nicht das schlechte Gewissen, das ich als kleiner Junge in der Umkleidekabine mit meinem Vater hatte. Ich erschrecke. Was ich in in mir finde, entsetzt mich.

Du kennst die Geschichten von den Krankenschwestern, die ihre Patienten umbringen? Sie sind freundlich und effizient, aber nicht weil sie die Patienten lieben, sondern weil sie die Zähne aufeinanderbeißen. Sie sind kalt. Und weil die Anstrengung so groß ist, daß sie nur mit Liebe ausgehalten werden könnte, können sie sie eines Tages nicht mehr aushalten und bringen die Patienten kalt um. Dabei sind sie noch nicht die Schlechtesten. Denk an…«

»Du bringst deine Mutter nicht um. Du wäschst nur ihre Scheiße ab.« Margarete setzte sich auf und strich ihm über den Rücken.

»Aber die Kälte ist die gleiche. Wenn ich durch die Straßen gehe oder im Café auf dem Platz sitze, sehe ich den Leuten zu. Wie sie gehen, wie sie sich halten, was sie in ihren Gesichtern ausdrücken. Manchmal sehe ich die Mühe, die sie sich in Haltung und Ausdruck geben, die Tapferkeit, mit der sie dem Leben begegnen, die heroische Anstrengung, mit der sie nur schon Schritt vor Schritt setzen, und mich erfüllt ein tiefes Mitleid. Aber es ist nur Sentimentalität. Denn ebenso kann ich den Leuten gegenüber eine solche Kälte empfinden, daß ich sie, wenn ich eine Maschinenpistole dabeihätte und die Unerfreulichkeit von Gericht und Gefängnis nicht scheuen würde, alle erschießen könnte.«

»Das alles ist dir eingefallen, als du zum ersten Mal in deinem Leben übers Küssen nachgedacht hast?«

»Es ist mir seitdem eingefallen. Manches erst hier, weil ich wissen will, ob ich auch wie Jörg...« Er schaute irritiert, und sie merkte, daß er sich plötzlich fragte, ob sie sich über ihn lustig machte.

Das sollte er nicht. »Ich habe noch nie übers Küssen nachgedacht. Wenn ich's täte, würde es mich nicht dorthin führen, wo es dich hingeführt hat. Ich finde, du machst große Sprünge, vom Scheiße-Abwaschen zum Menschen-Umbringen, vom Gutes-Tun zum Böses-Tun, von der Vorstellung zur Wirklichkeit. Jeder versetzt sich manchmal in der Phantasie in Situationen, aus denen er sich in der Realität raushält.«

»Hast du dich gestern und heute nie gefragt, wie Jörg seine Opfer umbringen konnte und ob du's auch könntest? Ich habe gemerkt, daß ich mich zwar nicht als gläubigen revolutionären Kämpfer sehen kann, wohl aber als Mörder mit kaltem Kopf und kaltem Herzen.«

Margarete schüttelte den Kopf und lehnte ihn an Henners Brust. Als sie sich von ihm löste und wieder aufs Bett sinken ließ, streifte er die Schuhe von den Füßen und legte sich an ihre Seite. So schliefen sie ein.

9

Auch die anderen schliefen. Jörg und Dorle auf ihren Zimmern, Christiane im Liegestuhl auf der Terrasse, Ilse im Bug des Boots. Nur Marko war auf dem Weg in die Stadt, und die beiden Ehepaare und Andreas saßen in einer Gartenwirtschaft am See, genossen die Müdigkeit ihres Kopfs und ihrer Glieder, bestellten noch eine Flasche Wein und sahen auf das Gleißen der Sonne auf dem Wasser. Es war heiß, im Haus, auf der Terrasse, auf dem Bach und am See, und die Hitze machte träge und die Trägheit versöhnlich. Jedenfalls hoffte Christiane, daß es allen so gehe, als sich bei ihr vor dem Einschlafen das gute Gefühl einstellte, es werde schon alles werden.

Ilse war eingeschlafen, weil sie sich nicht entscheiden konnte, ob sie Jan einschlafen lassen sollte. Sie konnte sich nach dem Mord beides vorstellen, einen völlig erschöpften und einen närrisch beschwingten Jan, einen, der sich ins Bett legt und bis zum Morgen nicht aufwacht, und einen, der die Nacht durchmacht. Als sie aufwachte, beschloß sie, ihn die Nacht durchmachen zu lassen.

Aber dann mochte sie nicht Jans Alltag weitererzählen, nicht jetzt. Seine Autodiebstähle und Banküberfälle, seine Fluchten, seine Ausbildung bei den Palästinensern, seine Diskussionen mit den anderen, seine Geld- und Waffendepots, seine Begegnungen mit Frauen, seine Urlaube – das alles konnte sie sich vorstellen, das alles würde sie schreiben können. Sie würde recherchieren müssen: Folgten deutsche Terroristen, wenn sie Autos stahlen und Banken überfielen, einem bestimmten Muster? Wo waren die Lager, in denen sie ausgebildet wurden? Wie lange waren, was lernten sie dort? Wann hörten sie auf, über politische Strategie zu diskutieren, und besprachen nur noch die Details ihrer Anschläge? Wo machten sie Urlaub? Das alles waren beantwortbare Fragen. Was Ilse nicht beantworten konnte, war, wie es mit dem Morden weitergehen sollte. Eine Geisel nehmen, sie ein bis zwei Wochen um sich haben, sie von hier nach dort fahren, ihr zu essen und zu trinken geben, mit ihr reden und vielleicht sogar scherzen – und sie dann ermorden? Wie schafft man das?

In den ersten Tagen wechselte keiner ein Wort mit ihm. Er war an Armen und Beinen gefesselt, nicht damit er nicht fliehen, sondern damit er sich nicht das Klebeband vom Mund reißen und schreien konnte. Die Wände waren dünn. Tags saß er in der Mitte des Zimmers auf einem Stuhl, nachts lag er auf dem Boden. Wenn sie ihn aufs Klo brachten, banden sie ihm eine Hand los; wenn sie ihm zu essen und zu trinken gaben, zog einer ihm das Klebeband vom Mund, während ein anderer bereit stand, ihn ohnmächtig zu schlagen, sollte er zu schreien versuchen. Nie war einer mit ihm allein, nie war einer ohne Maske bei ihm.

Bei allem, was sie mit ihm machten, trieben sie ihn zur Eile an, beim Aufstehen und Zum-Klo-Humpeln, bei der Verrichtung der Notdurft, beim Zurück-ins-Zimmer-Humpeln, beim Essen und Trinken. Obwohl sie ihn zum raschen Kauen und Schlucken hetzten, versuchte er dazwischen, mit ihnen zu reden. »Was immer Sie für mich aushandeln wollen – ich kann Ihnen dabei helfen« oder: »Lassen Sie mich an den Kanzler schreiben« oder: »Lassen Sie mich an meine Frau schreiben, bitte!« oder: »Meine Beine tun weh – können Sie mich bitte anders fesseln?« oder: »Machen Sie bitte das Fenster auf.« Sie reagierten nicht darauf. Auch ohne daß sie mit ihm redeten, wußte er, zu wem sie gehörten; er hatte das Plakat gesehen, unter dem sie ihn photographiert hatten.

Sie redeten nicht mit ihm und nicht über ihn. Nicht daß sie sich darauf verständigt hätten, sie hatten auch nicht vereinbart, ihn in allem so kurz wie irgend möglich abzufertigen. Alle hatten das gleiche Bedürfnis, ihn von sich fernzuhalten. Als Helmut, gleich nachdem sie in der Wohnung angekommen waren, ihn als Faschistenschwein, Kapitalistenarsch, Geldficker beschimpfte, war es den anderen peinlich, und Maren legte den Arm um Helmut und führte ihn aus dem Zimmer.

In dem Haus im Wald, in das sie nach ein paar Tagen wechselten, sollte eigentlich alles so weitergehen. Aber das Haus hatte, was sie nicht gewußt hatten, neben Küche und Bad nur einen großen Raum. »Das ist kein Problem«, sagte Helmut, holte die Kapuze aus dem Auto, die sie ihm bei der Entführung und beim Transport über den Kopf gezogen hatten, und zog sie ihm wieder über. Aber es war ein Problem. Obwohl gefesselt, verklebt und verhüllt, unfähig, mit ihnen zu reden und sie zu sehen, war er da. Er war um so gegenwärtiger, je unbewegter er auf seinem Stuhl saß; wenn er die Beine streckte, Kopf und Nacken reckte und hin und her rutschte, war seine Anwesenheit erträglicher. Weil sie ihre Stimmen nicht verraten wollten und vor ihm nicht redeten, war es im großen Zimmer still, und sie hörten seinen schweren Atem. Tags konnten sie in die Küche oder vors Haus gehen. Nachts konnten sie seinem Atem nicht entfliehen.

Dann sagte er zwischen dem Kauen und Schlucken: »Ich kriege durch die Nase nicht genug Luft.« Er sagte es wieder und wieder, aber sie achteten nicht darauf. Bis er vom Stuhl fiel. Maren riß ihm die Kapuze vom Kopf und das Klebeband vom Mund, und er atmete wieder. Alle waren ohne Masken, und Maren hatte die Geistesgegenwart, ihm wieder die Kapuze überzuziehen, ehe er zu sich kam.

Von da an klebten sie ihm nicht mehr das Band über den Mund, und er redete manchmal. Er diskutierte mit ihnen über Politik und übernahm, weil sie nicht mit ihm diskutierten, auch ihren Part. Er erzählte ihnen von sich. Er begann mit »Sie stellen sich wohl vor, ich…« und kam dann mit »tatsächlich…« zur Sache. So erzählte er von seiner Zeit im Krieg, von seiner Karriere in der Wirtschaft, von seinen Kontakten zur Politik. Er redete nie mehr als fünfzehn bis zwanzig Minuten. Er war geschickt; er wollte Samenkörner in sie legen, die aufgehen und sie zwingen sollten, ihn nicht als Charaktermaske des Kapitals oder des Systems zu sehen, die man töten kann, sondern als Menschen. Dann begann er, von seiner Frau und seinen Kindern zu erzählen. »Ich hätte mich von meiner Frau nicht scheiden lassen können, so unglücklich wir auch miteinander waren. Als sie unerwartet starb, dachte ich, daß auch ich für die Liebe und das Glück gestorben sei. Aber dann lernte ich meine jetzige Frau kennen und habe mich noch mal verliebt, zuerst in sie und dann in unsere Tochter. Ich hatte nicht noch mal Kinder haben wollen und habe mich auch bei der Geburt nicht richtig gefreut. Aber dann... Ich habe mich in das kleine Gesicht verliebt, das sich mir zugewandt hat, in die spekkigen Arme und Beine, in den knuddeligen Bauch. Ich habe mich in das Baby verliebt, wie man sich in eine Frau verliebt. Seltsam, nicht wahr?«

Seine Stimme war kräftig und bestimmt. Wenn er fragend, zögernd, nachdenklich redete, sagte sich Jan, er spielt uns etwas vor. Auch wenn seine massige Gestalt im Stuhl zusammensackte oder sein breites, fleischiges Gesicht zerfiel und einen ängstlichen, weinerlichen Ausdruck annahm, hielt Jan es für Schauspielerei. Der Mann kämpft mit den Mitteln, die er hat. Ob er, wenn er freikommt, in einem Buch oder einem Interview berichtet, wie er uns manipuliert hat? Oder ist ihm Schwächezeigen so unangenehm, daß er es nicht eingestehen wird, selbst wenn er es getan hat, um uns zu manipulieren?

Wenn er freikommt – sie hatten sich auf eine Verlängerung des Ultimatums eingelassen und ihn noch mal mit einer aktuellen Zeitung unter dem Plakat photographiert. Wenn die Genossen nicht freigelassen würden, mußten sie ihn erschießen. Wie sollte man sie noch ernst nehmen, wenn sie ihn laufenließen?

Die letzten Tage des Ultimatums regnete es. Es war

nicht kalt; sie saßen vor dem Haus unter dem Dach und sahen in den Regen. In den Bäumen auf der Wiese hingen Nebelfetzen, und dahinter verschwanden Wald und Berge in tiefen Wolken. Auch wenn die Tür zu war, hörten sie, was er redete. Ebenso hörte er die Nachrichten, die ihr Transistorradio zur vollen Stunde brachte. Als sie unter sich auslosten, wer ihn erschießen solle, waren sie leise; das sollte er nicht hören.

Jan versuchte zu lesen. Aber ihm gelang nicht mehr, eine Verbindung zwischen dem, was er las, und dem, wie er lebte, herzustellen. Die Leben, von denen er in Romanen las, waren so fremd, so falsch, daß er nichts mit ihnen anfangen konnte, und auch mit Büchern über Geschichte oder Politik oder Gesellschaft konnte er nichts anfangen; er hatte sich gegen das Lernen und für den Kampf entschieden. Seine Unfähigkeit zum Lesen bereitete Jan einen kleinen Schmerz. Es ist nur ein Abschiedsschmerz, dachte er, einer der letzten, die anderen habe ich schon hinter mir.

Eine Stunde vor Ablauf des Ultimatums sagte er: »Wenn die Stunde vorbei ist, werden Sie schnell machen – kann ich jetzt einen Brief an meine Frau schreiben?« Helmut wiederholte ironisch »einen Brief an meine Frau«, Maren zuckte die Schultern. Jan stand auf, holte Papier und Stift, nahm ihm die Kapuze ab und band seine Hände los. Er sah ihm beim Schreiben zu.

»Meine Liebste, wir wußten, daß ich vor Dir sterben würde. Es tut mir leid, daß ich schon so früh gehen, daß ich Dich schon so früh allein lassen muß. Ich gehe reich beschenkt; in diesen letzten Tagen, in denen ich so viel

Zeit zum Nachdenken hatte, war mein Herz erfüllt von unseren gemeinsamen Jahren. Ja, ich hätte gerne noch vieles mit Dir gemacht, und ich hätte gerne gesehen, wie unsere Tochter...«

Er schrieb langsam, und die Schrift war kindlich ungelenk. Klar, dachte Jan, der Mann schreibt schon seit langem nicht mehr selbst, sondern diktiert. Er diktiert und kommandiert und manipuliert und schikaniert. Zugleich hat er eine junge Frau und ein kleines Kind und einen braven Hund, und wenn er von seinen Schweinereien nach Hause kommt, springt der Hund ihm entgegen und ruft die Tochter: »Papi, Papi!«, und die Frau nimmt ihn in die Arme und sagt: »Du siehst müde aus – war der Tag schlimm?« Jan nahm die Pistole aus dem Hosenbund, entsicherte und schoß.

Ilse stand auf und sprang vom Boot ans Land. Nein, es war nicht schwer gewesen. Der erste Mord war schwer gewesen, auch wenn Jan ihn sich in einer Art von Rausch leichtgemacht hatte. Mit dem ersten Mord hatte Jan den Gesellschaftsvertrag aufgekündigt, unter dem wir einander nicht umbringen. Was sollte ihn danach noch halten?

10

Als Karin auf dem Parkplatz aus dem Auto stieg, kam ein junger Mann auf sie zu und sprach sie an. »Frau Bischöfin?«

Sie musterte ihn freundlich, wie sie schon als Pfarrerin gelernt hatte, alle, die sich ihr näherten, freundlich zu mustern. Er war groß, hatte ein klares Gesicht, einen offenen Blick und machte mit beiger Hose, hellblauem Hemd und dunkelblauer Jacke über dem Arm einen aufgeräumten, wohlerzogenen Eindruck. »Ja?«

»Ich möchte Sie bitten, ein gutes Wort für mich einzulegen. Sie sind hier zu Gast, nicht wahr, und ich würde gerne einmal durchs Haus und durch den Park gehen. Ich schreibe eine Arbeit über die kleinen Herrensitze in dieser Gegend und bin heute auf diesen gestoßen. Unter der Woche sitze ich in Archiven, und am Wochenende fahre ich übers Land und gucke mir an, worüber ich gelesen habe. Manchmal finde ich es nicht mehr, aber dafür finde ich manchmal, worüber es nichts zu lesen gibt. Über diesen kleinen Herrensitz habe ich noch nichts gelesen.«

»Ich kann Sie den Eigentümerinnen vorstellen.«

»Das wäre freundlich von Ihnen. Sie können sich nicht an mich erinnern. Vor neunzehn Jahren haben Sie in St. Matthäi meinen Freund konfirmiert, Frank Thorsten, und haben mir, als ich die Kirche verlassen habe, die Hand gegeben.«

»Nein, ich erinnere mich nicht an Sie und nicht an Ihren Freund. Sie studieren Kunstgeschichte?« Sie ging auf das Haus zu, und er ging neben ihr her.

»Ich bin beinahe fertig. Entschuldigen Sie, ich habe mich nicht vorgestellt. Gerd Schwarz.«

Sie fanden Christiane mit Ulrichs Tochter in der Küche. Christiane war zuerst mißtrauisch und dann erleichtert. Das also war der junge Mann, der sich im Dorf umgesehen hatte. Sie instruierte Karin über den Zustand des Bratens in der Röhre und ging mit Gerd Schwarz durchs Haus. Ob sie wisse, wer das Haus gebaut hat? Es erinnere ihn an Herrensitze von Karl Magnus Bauerfend aus den sechziger und siebziger Jahren des achtzehnten Jahrhunderts. Die breite Eingangshalle, die Treppe in den ersten Stock aus Holz statt, wie damals üblich, aus Stein, die beiden verlorenen, nur über den Salon zu erreichenden Eckzimmer – das alles trage seine Handschrift. Habe sie geprüft, ob die Decke und die Ecken im Salon unter dem weißen Verputz bemalt seien? Bauerfend habe die Salons, von denen sich die Türen auf die Terrasse und in den Park öffnen, gerne in den Ecken mit grünem Geranke und an der Decke mit einem lichten blauen Himmel mit zarten Wolken ausmalen lassen. So gut Gerd Schwarz redete, so gut hörte er auch zu. Christianes Sorgen mit dem Schimmel in den Mauern und dem Wurm im Holz, mit dem Dach, den Leitungen, den Fördermitteln und -auflagen – er hatte für alles ein aufmerksames, mitfühlendes Ohr. Im Park zeigte sie ihm die Mulde, die sie mit Wasser des Bachs wieder füllen wollte. »Wo ein Teich war,

war auch eine kleine Insel.« Er suchte und fand in der Mitte der Mulde eine Stelle, die ein bißchen erhaben war, und auf ihr zwei Steine, die einst eine Bank getragen haben mochten. Bei allem war er so wohltuend bescheiden und Christiane binnen kurzem so vertraut, daß sie ihm anbot, er könne sich gerne allein weiter umschauen. Sie mußte wieder in die Küche.

Er blieb nicht lange allein. Andreas, dem Christiane von Gerd Schwarz erzählt hatte, fand ihn und ließ sich von der Wohlerzogenheit und Bescheidenheit nicht einnehmen. »Haben Sie ein Mobiltelephon? Kann ich es sehen?« Als Gerd Schwarz ihm verdutzt das Telephon gab, steckte Andreas es ein. »Sie kriegen es wieder, wenn Sie gehen. Wir wollen nicht, daß hier telephoniert wird.«

Gerd Schwarz fragte mit freundlicher Ironie: »Wegen der Strahlen?«

Andreas machte eine unverbindlich bestätigende Bewegung mit Schultern und Armen und blieb an Gerd Schwarz' Seite. Als sie den Park durchmessen hatten und zum Haus zurückkehrten, trat Jörg aus dem Salon auf die Terrasse. Er blieb stehen, blinzelte in das Licht der späten Sonne und war unverkennbar der, dessen Bild in den letzten Wochen in jeder Zeitung und bei jedem Sender erschienen war. Daß Gerd Schwarz ihn nicht zu erkennen schien, kein Erstaunen, keine Neugier zeigte, machte Andreas erst recht mißtrauisch. Aber er wurde von Christiane überrollt. »Bleiben Sie doch noch!« Gerd Schwarz blieb gerne.

Andreas hatte keine Hoffnung, den neuen Gast, sollte er sich eingeschlichen haben, durch die Drohung mit einem Prozeß zum Schweigen zu bringen. Also müssen wir ihn, wenn ein falsches Wort fällt, hierbehalten, bis wir sicher sein können, daß er keinen Schaden anrichtet.

»Wie war euer Ausflug?« wollte Christiane von den beiden Ehepaaren und Andreas wissen, und Ingeborg berichtete von der Klosterruine und der Probe für ein Konzert, der sie zugehört hatten und von der sie beeindruckt waren. »Dann saßen wir am See und waren ein bißchen betrunken und schläfrig und glücklich, bis die drei sich in die Haare geraten sind. Das linke Projekt – darüber haben sie sich ereifert, als interessiere es heute noch jemanden.«

»Nein, mein Schatz«, Ulrich redete mit bemühter Geduld, »wir wissen, daß es heute niemanden mehr interessiert. Wir sind uns über der Frage in die Haare geraten, was das linke Projekt erledigt hat.« Er wandte sich zu Andreas. »Du und ich können uns einigen. Es war beides: die Bevormundung und Gängelung der Menschen im Osten und der Terrorismus im Westen. Beides hat das linke Projekt erledigt. Aber was du sagst, Karin ... So schön die Fortschritte des Feminismus und des Engagements für die Umwelt sind – daß wir unseren Müll sortieren und eine christdemokratische Bundeskanzlerin haben, hat mit dem linken Projekt nichts zu tun.«

Jörg hatte sich beherrschen müssen, Ulrich ausreden zu lassen. »Geht's wieder gegen mich? Habe ich jetzt auch noch das linke Projekt kaputtgemacht? An dem du in deinen Dentallabors gearbeitet hast und du in deiner Rechtsanwaltskanzlei? Was seid ihr doch für selbstgerechte...« Er verkniff sich die Arschlöcher, fand aber auch nichts anderes. »Das linke Projekt heißt zuallererst, daß der Mensch sich gegen die Gewalt des Staats auflehnen kann, daß er sie brechen kann, statt von ihr gebrochen zu werden. Das haben wir gezeigt, mit unseren Hungerstreiks und unseren Selbstmorden und unseren…«

»…Morden. Daß die Gewalt des Staats nichts mehr taugt, zeigt jedes global operierende Unternehmen, das keine Steuern zahlt, weil es, wo es sie zahlen müßte, nur Verluste macht und, wo es Gewinne macht, keine zahlen muß. Dafür braucht's keine Morde und keine Terroristen.«

Gerd Schwarz hörte interessiert zu. Wenn er Jörg nicht sofort erkannt hatte – müßte er nicht jetzt merken, mit wem er es zu tun hatte? Sollte er von dem Rummel vor Jörgs Begnadigung schlicht nichts mitgekriegt haben? Dann sagte sich Andreas, daß der neue Gast, wenn er Jörg inzwischen erkannt hatte, nicht damit herausplatzen konnte. Also kein Grund zum Mißtrauen? Ein harmloser Kunstgeschichtler, der am Zeitgeschehen wenig Anteil nimmt?

Christiane sah hilflos in die Runde. Gleich würde Jörg wieder Henner fragen, wie es sich anfühle, ihn damals verraten zu haben und jetzt seine Entlassung zu feiern. Da kam es auch schon. »Du hast meine Frage noch nicht beantwortet. Du hast mich damals ins Gefängnis gebracht und feierst jetzt meine Entlassung aus dem Gefängnis – wie fühlt sich das an?«

Henner stand neben Margarete, nicht Arm in Arm, aber Hüfte an Hüfte. Er holte tief Luft. »Ja, ich dachte mir, daß du die Hütte als Versteck oder Depot benutzen würdest. Ich bin einmal zur Hütte gefahren und habe dir einen Brief hingelegt. Vielleicht ist die Polizei mir gefolgt – ich habe nichts gemerkt. Hast du den Brief gefunden?«

»Einen Brief von dir?« Jörg war aus dem Konzept gebracht. »Nein, ich habe keinen Brief von dir gefunden. Aber wie hätte ich auch – die Bullen haben mich sofort festgenommen. Hast du den Brief erwähnt, als ich verurteilt wurde und du mich besucht hast?«

»Keine Ahnung. Ich weiß nur noch, daß du nicht mit mir geredet, sondern mich beschimpft hast. Als ›abgefuckten Halbarsch‹ – ich habe es behalten, weil mich das Halb vor dem Arsch irritiert hat. Ich habe nie herausgefunden, was es damit auf sich hat.«

»Ich war damals nicht scharf darauf, mit dem zu reden, der mich gerade verraten hatte. Du hast also nicht...« Jörg schüttelte den Kopf.

»Du klingst enttäuscht. Wär's dir lieber, wenn dein alter Freund, der bürgerliche Halbarsch, dich verraten hätte?«

»Lieber, wenn du... Nein, das wäre mir nicht lieber. Ich tue mich nur schwer damit, daß... Wenn die Polizei dich beobachtet hat und dir gefolgt ist, wen hat sie dann nicht beobachtet? Wann hatten wir uns damals zuletzt gesehen? Es war Jahre, bevor ich untergetaucht bin. Du warst wirklich kein aussichtsreicher Kontakt, und trotzdem hat die Polizei...« Jörg klang nicht enttäuscht, sondern mißtrauisch.

»Die Polizei richtig einschätzen war noch nie eure Stärke. Aber was weiß ich – vielleicht hat sonst jemand von euch was ins Depot gebracht oder aus dem Depot geholt, und die Polizei ist nicht mir, sondern ihm gefolgt. Wollen wir eigentlich nicht den Aperitif nehmen?«

»Moment, Moment!« Ulrich hob die Arme. »Ich habe zur Feier des Tages ein Kistchen Champagner mitgebracht und, weil's mit dem Strom hapert, im Bach gelagert. Ich bin sofort wieder da.«

Christiane brachte Gläser, Dorle Oliven und Käsewürfel, Andreas und Gerd Schwarz rückten die Stühle in einen Kreis, und Ilse pflückte zwölf Gänseblümchen, für jeden eines.

Jörg ging zu Henner, der mit Margarete abseits stand, und fragte: »Was stand denn in dem Brief?«

»Deine ehemalige Frau hatte sich umgebracht – ich dachte, das solltest du wissen.«

»Oh.« Jörg blieb mißtrauisch. Aber Henner hatte richtig gerechnet. Eva Marias Selbstmord war kurz vor Jörgs Festnahme gewesen. Als Jörg sich dessen vergewissert hatte, sagte er noch mal »oh« und ging zur Seite.

»Du lügst gut«, sagte Margarete zu Henner. »So gut, daß mir unheimlich wird, selbst wenn du nur für gute Zwecke lügen solltest. Lügst du nur für gute Zwecke?«

Henner sah Margarete traurig an. »Ich habe so gut gelogen, weil ich damals tatsächlich überlegt habe, zur Hütte zu fahren und einen Brief hinzulegen. Ich weiß nicht, ob sie sich seinetwegen umgebracht hat; ihre Eltern haben es behauptet, aber sie haben Jörg auch von Anfang an abgelehnt. Jedenfalls hätte Eva Maria ein glücklicheres Leben gehabt, wenn er nicht Terrorist geworden wäre.«

»Aber du hast es nicht gemacht.«

»Nein. Es hätte nicht geholfen. Das konnte ich damals zwar nicht wissen. Aber ich konnte es mir denken.« Er wartete, ob Margarete etwas sagen würde. Sie sah ihn zweifelnd und nachsichtig an. »Du hast recht. Es war mir nicht wichtig genug. Es wäre schön, wenn es mir wichtig genug gewesen wäre, wenn ich einen Brief geschrieben und zur Hütte gebracht hätte. Es wäre schön.«

11

Christiane war ihre Angst los. Sie genoß den Champagner, genoß die Freunde und wandte sich Jörg wieder mit der gewohnten liebevollen Aufmerksamkeit zu. Nach dem Champagner gab's Abendessen, festlicher und leckerer als am Abend davor, mit weißem Tischtuch, Geschirr und Besteck der Großmutter und silbernen Leuchtern, mit vier Gängen und als Höhepunkt Rheinischem Sauerbraten, Jörgs Lieblingsgericht.

Jörg erzählte von der Zeit, als er in der Gefängnisküche gearbeitet hatte. »Der Küchenchef war Koch in einem Dreisternerestaurant gewesen, sagte er jedenfalls und glaubten wir ihm auch, bis er das Arbeiten in die Nacht hinein satt hatte und sich für die geregelten Arbeitszeiten im öffentlichen Dienst entschied. Er hatte Dutzende von Rezepten im Computer, mit Kalorien und Vitaminen und Mineralen und was weiß ich, und ein Programm, mit dem er daraus den Essensplan für die Woche zusammenstellte. Die Rezepte waren Hausmannskost, von Königsberger Klopsen mit Kapernsauce bis zu Nürnberger Rostbratwürsten mit Sauerkraut, und alle beschwerten sich immer über das langweilige Essen. Aber wehe, er kochte was anderes, was Besonderes – dann hagelte es erst recht Beschwerden. Und obwohl er das wußte, ging der Dreisternekoch manchmal mit ihm durch, und er ließ sich's nicht nehmen, uns ein thailändisches oder ein marokkanisches Gericht zu servieren.«

Das fand Karin interessant. »Mir geht es nicht anders als den Gefangenen. Die Essenseinladungen und -verabredungen, die zum Beruf gehören und bei denen es immer vom Besten gibt, sind mir ein Graus. Am liebsten hole ich mir eine Currywurst mit Pommes, sitze am Schreibtisch, lese die Zeitung und schieb's in mich hinein. Ich könnte es Tag um Tag tun. Aber bei mir passiert auch jeden Tag jede Menge, daher ist das Essen je langweiliger, desto erholsamer. Ist im Gefängnis nicht das Essen der Höhepunkt des Tages?«

»Das ist es. Aber Höhepunkt heißt nicht Aufregung. Der Höhepunkt steht für alles, was man drinnen sehnsüchtig erinnert und vermißt: die Normalität des Lebens draußen, die Kindheit, in der die Welt noch in Ordnung war, wenn nicht bei den Eltern, dann bei den Großeltern, die Frau, die gut zu einem war – immer gehört das Essen als eine stetige, verläßliche Größe dazu. Ganz ähnlich ist es mit den Büchern, die im Gefängnis gelesen werden. Ich habe mal in der Gefängnisbücherei...«

Ilse sah Jörg an und dachte an Jan. Wie glücklich Jörg war! Ein alltägliches Gespräch führen, etwas zu sagen haben, Aufmerksamkeit für seine Erfahrungen und Beobachtungen finden, hier und da mehr wissen als sein Gegenüber – es tat ihm wohl. War die Sehnsucht nach der Alltäglichkeit erst im Gefängnis gewachsen? Oder hatte sie auch in den Jahren der Illegalität unter der Oberfläche geschlummert, bereit, geweckt zu werden? Hatte auch Jan sie?

Auch Christiane fiel auf, wie verändert Jörg war. Kein Mißtrauen, keine Vorsicht, keine Distanz. Er ließ sich auf das Gespräch ein. Waren seine seltsamen Aussagen über Revolution und Mord und Reue nur eine unbeholfene Reaktion, wenn er angegriffen wurde? War es falsch, ihn Vorträge halten und Interviews geben und in Talkshows auftreten zu lassen? Weil es wieder zu Angriffen führen würde? War aus demselben Grund auch die rechtlich noch so abgesicherte Presseerklärung ein Fehler?

Als habe sie ihm das Stichwort gegeben, tauchte Marko auf. Sie sah ihm an, daß er Erfolg gehabt und einen Anwalt gefunden hatte, der die Presseerklärung in Ordnung fand. Er war von seinem Erfolg, seinem Projekt, sich selbst so begeistert, daß er nicht warten konnte, bis er mit Jörg allein war. Er mußte alle anderen unterbrechen und ihnen vorlesen, was Jörg am Sonntag an die Presse geben würde.

»Das haben wir bereits geklärt«, sagte Andreas kühl. »Jörg gibt keine Presseerklärung ab.«

»Ich habe mit einem Anwalt geredet, der mir bestätigt hat, daß Jörg kein Risiko eingeht.«

»Noch bin ich Jörgs Anwalt.«

»Das ist keine Entscheidung für seinen Anwalt. Er muß sie selbst treffen.«

Jörg litt unter dem Thema, dem Streit und den Blicken, die die anderen auf ihn richteten. Er fuchtelte mit den Händen und sagte schließlich: »Ich muß noch mal nachdenken.«

»Nachdenken?« Marko war empört. »Was ist mit deiner Verantwortung gegenüber denen, die an dich glauben und auf dich warten? Hast du sie schon wieder vergessen? Und willst du vor der Welt als der dastehen, den sie kleingekriegt haben, der klein beigegeben hat?«

»Ich brauche keine Belehrung über meine Verantwortung, von dir nicht und von niemandem.« Aber Jörg war nicht sicher, die unerfreuliche Auseinandersetzung damit beendet zu haben, und sah zu Christiane, als könne es ihr gelingen.

»Was hältst du dich an deine Schwester? Halt dich an die, die mit dir kämpfen wollen. Die dich nicht verraten, sondern brauchen. Du...«

»Das reicht. Sie sind Christianes Gast, und wenn sie zu vornehm ist, Sie rauszuschmeißen – ich bin's nicht. Sie entschuldigen sich oder gehen.«

»Laß nur, Henner. Daß Marko denkt, ich hätte die Revolution verraten, ist eine alte Geschichte zwischen uns.«

»Was?« Jörgs Gesicht und Ton waren wieder voller Mißtrauen und Abwehr. »Christiane hat die Revolution verraten?«

»Die Revolution, die Revolution«, Marko winkte ab, »deine Schwester hat dich verraten. Sie hat den Bullen gesagt, daß sie dich im Wald bei der Hütte abpassen können.«

»Das hatten wir schon. Niemand hat Jörg verraten. Als ich ihm damals einen Brief zur Hütte gebracht habe, muß die Polizei mir gefolgt sein.«

Marko wurde wütend. »Deswegen hat Christiane dich nicht mit Kaffee überschüttet. Sie hatte Angst, daß du sagst, daß du Jörg nicht verraten hast. Daß Jörg eins und eins zusammenzählt und dahinterkommt, daß, wenn du's nicht warst, nur sie ihn verraten haben kann. Ich weiß, sie hat's gut gemeint, aber begreifst du nicht, Jörg? Sie meinen es alle gut mit dir, aber sie machen dich klein. Sie verraten, was an dir groß ist. Wenn du machst, was sie dir sagen, war dein Leben nichts und bist du niemand.«

Jörg sah verwirrt von Marko zu Henner zu Christiane. Karin, die an diesem Abend neben ihm saß, legte ihm die Hand auf die Schulter. »Laß dich nicht verrückt machen. Marko kämpft für die Presseerklärung, und er kämpft mit allen Mitteln. Du willst noch mal nachdenken, und das ist dein gutes Recht. Die Presseerklärung soll ohnehin erst morgen raus – oder hast du Jörg überrollt und sie schon heute rausgegeben?« Sie sah Marko ernst an. Er wurde rot und stotterte und versicherte, er habe noch nichts unternommen. »Ich hoffe, daß du nur wegen meines strengen Blicks rot geworden bist.«

12

Karin redete weiter. »Du meinst, Jörg sei nichts, wenn er nicht ist, was er werden wollte? Du meinst, alle, deren Hoffnungen sich nicht erfüllen, sind nichts? Dann bleiben nicht viele, die was sind. Ich kenne keinen, dessen Leben so geworden ist, wie er sich's geträumt hat.«

»Was wolltest du denn noch werden? Ich dachte, wo ihr keinen Papst habt, ist Bischöfin das Höchste.« Andreas konnte nicht anders, Karin reizte ihn.

Eberhard lachte. »Manchmal fällt einem in den Schoß, wovon man gar nicht geträumt hat. Das ändert nichts daran, daß die meisten Träume nichts werden. Ich bin der Älteste in der Runde, und auch ich kenne keinen, der in seinem Leben seine Träume verwirklicht hat. Nicht daß das Leben deshalb nichts taugen würde; die Frau kann lieb sein, obwohl sie nicht die große Leidenschaft ist, das Haus schön, obwohl es nicht unter Bäumen steht, und der Beruf respektabel und einträglich, obwohl er nicht die Welt verändert. Alles kann taugen und doch nicht so sein, wie es mal geträumt war. Kein Grund zur Enttäuschung und keiner, etwas zu erzwingen.«

»Kein Grund zur Enttäuschung?« Marko machte eine höhnische Grimasse. »Wollt ihr euch alles schönlügen?«

Henner griff unter der Tischdecke Margaretes Hand und

drückte sie. Sie lächelte ihn an und drückte seine Hand. »Nein«, sagte sie, »kein Grund zur Enttäuschung. Wir leben im Exil. Was wir waren und bleiben wollten und vielleicht auch zu werden bestimmt waren, verlieren wir. Dafür finden wir was anderes. Selbst wenn wir denken, wir würden finden, was wir gesucht haben, ist es in Wahrheit etwas anderes.« Sie drückte noch mal Henners Hand. »Ich will nicht über Worte streiten. Wenn du es einen Grund zur Enttäuschung findest, verstehe ich das. Aber so ist es nun mal. Es sei denn ...« Margarete lächelte. »Vielleicht macht das den Terroristen aus. Er kann nicht aushalten, daß er im Exil lebt. Er will seinen Traum von Heimat herbeibomben.«

»Seinen Traum ... Jörg hat nicht für seinen Traum gekämpft, sondern für eine bessere Welt.«

Dorle lachte laut heraus. »›Fighting for peace is like fucking for virginity‹ habe ich mal gelesen. Du immer mit deinem Kämpfen!«

»Mir gefällt das Bild. Meine Labors und ihr beide, die Frauen meines Lebens, seid mein Exil. Als Kind habe ich mich als großen Entdecker geträumt, der als erster eine Wüste durchquert oder einen Urwald, aber überall war schon jemand gewesen. Später wollte ich ein großer Liebender werden, wie Romeo mit Julia oder Paolo mit Francesca. Wurde auch nichts, aber ich habe euch und meine Labors – was kann ein Mann mehr haben wollen!« Ulrich warf seiner Frau mit der Linken eine Kußhand zu und seiner Tochter mit der Rechten.

»Ist dies die Stunde der Wahrheit?« Andreas sah in die Runde. »Ich wollte der Jurist der Revolution werden, nicht der juristische Theoretiker, sondern der Praktiker, der wie

Wyschinski als Staatsanwalt oder Hilde Benjamin als Richterin die revolutionäre Gerechtigkeit verwirklicht. Wurde auch nichts, Gott sei Dank, und in die Heimat dieses Traums will ich auch nicht zurückkehren.«

»Mein Traum kam spät. Oder soll ich sagen: Ich habe erst spät gemerkt, daß ich im Exil lebe. Daß ich eigentlich nicht unterrichten, sondern schreiben will. Daß ich die Schüler satt habe, die ich gerne was lehren würde, wenn sie was von mir wissen wollten, die aber nichts von mir wollen, sondern von denen immer ich was wollen muß. Nein, ich will raus aus meinem Exil und in meine Heimat. Ich will mit den Personen und Geschichten leben, die ich mir ausdenke. Ich will gut schreiben, aber wenn's nur zum Groschenroman langt, ist es mir auch egal. Ich will am Fenster mit dem Blick auf die Ebene sitzen und schreiben, vom Morgen bis zum Abend, und die eine Katze liegt auf dem Schreibtisch und die andere zu meinen Füßen.«

Guck einer die Ilse an. Die anderen waren verblüfft; so kannten sie Ilse nicht. Sie leuchtete wieder, nicht blond und hübsch, aber selbstbewußt und tatendurstig. Und anstekkend – die anderen wurden heiterer. Einer nach dem anderen erzählte, was er einstmals geträumt und in welches Exil es ihn verschlagen und wie er sich damit versöhnt hatte. Sogar Marko spielte mit; er habe Lokomotivführer werden wollen und finde sich im Exil des revolutionären Kampfs wieder. Jörg schwieg bis zum Schluß. »So, wie ihr redet, ist das Gefängnis mein Exil. Ich habe gelernt, darin zu leben. Aber versöhnt – nein, versöhnt bin ich damit nicht.«

»Na ja«, Ulrich wollte begütigen, »außer daß wir uns mit dem Exil versöhnen, bleibt die Erinnerung an unseren

Traum und an unsere Versuche, ihn zu verwirklichen. Ich bin damals von der Nordsee ans Mittelmeer gewandert, lacht nur, es sind immerhin zweieinhalbtausend Kilometer und hat mich mehr als ein halbes Jahr gekostet. Die Sahara oder den Amazonas habe ich nicht geschafft, aber der Europäische Wanderweg Nummer eins war auch nicht schlecht, und ich werde nie vergessen, wie ich am Gotthard nach einer klammen Nacht im Zelt die letzten Kilometer im Regen hochgestiegen und dann im Sonnenschein nach Italien abgestiegen bin.«

Damit eröffnete er nach der Träume-Runde die Wißt-ihr-noch-Runde. Wißt ihr noch, wie wir auf der Fahrt zum Treffen in Grenoble gezeltet haben und der Regen uns den Abhang hinuntergespült hat? Wie wir beim Treffen in Offenburg indisch gekocht haben und alle Dünnschiß bekamen? Wie Doris den Miss-University-Wettbewerb gewonnen und aus dem Kommunistischen Manifest vorgelesen hat? Wie Gernot, der von Politik nichts wissen wollte und auf der Vietnam-Demonstration nur war, weil Eva ihm gefiel, plötzlich »Amis raus aus USA« rief? Jeder erinnerte sich an eine harmlose Begebenheit oder zwei.

Sie warteten mit dem Anzünden der Kerzen; die Dämmerung ließ wie die Nacht in den Tag die Vergangenheit anheimelnd in die Gegenwart treten. Die Erinnerungen galten einer Zeit, die zu Ende gegangen war und nicht in die Gegenwart ragte. Aber die Erinnerungen waren lebendig, und so fühlten die Freunde sich zugleich alt und jung. Auch dieses Gefühl war anheimelnd. Als Christiane schließlich die Kerzen anzündete und sie einander wieder deutlich sahen, erkannten sie im alten Gesicht des anderen gerne das junge

Gesicht, das ihnen gerade in den Erinnerungen begegnet war. Wir bewahren die Jugend in uns, können zu ihr zurückkehren und uns in ihr wiederfinden, aber sie ist vergangen – Wehmut zog ihnen durchs Herz und Mitgefühl, füreinander und für sich selbst. Ulrich hatte nicht nur ein Kistchen Champagner, sondern auch ein Kistchen Bordeaux mitgebracht, und sie stießen auf alte Freunde und alte Zeiten an und sahen dazwischen dem Funkeln des Kerzenlichts im Rotwein zu, wie man am Wasser den ankommenden Wellen oder im Kamin den züngelnden Flammen zusieht.

Immer wieder fielen ihnen weitere Begebenheiten ein. Wißt ihr noch, wie wir in der Vorlesung von Professor Ratenberg Ratten laufen ließen? Wie wir bei der Rede des Bundespräsidenten die Lautsprecheranlage neutralisiert haben? Wie wir bei der Fahrpreiserhöhung der Straßenbahn die Weichen mit Schlageisen blockiert haben? Wie wir das Plakat zur Isolationsfolter an die Autobahnbrücke gehängt haben? Und, als die Polizei es abgehängt hat, den Text auf den Beton der Brücke gesprüht haben? Wie wir auf dem Hof des Straßenbauamts Verkehrsschilder ausgeliehen und die Hauptstraße gesperrt haben, damit wir demonstrieren konnten? Das fiel Karin ein, und als sie es sagte, lachte sie verlegen. Ganz wohl war ihr nicht dabei, aber sie spürte wieder den Kitzel des Verbotenen, den das Einsteigen auf den Hof des Straßenverkehrsamts hatte, den Reiz der Atmosphäre mit Nacht und Regen und huschendem Licht der Taschenlampen, das gute Gefühl des Zusammenhalts.

»Ja«, sagte Jörg, »das mit den Verkehrsschildern war gut. Bei der Sommer-Entführung haben wir's wieder brauchen können.«

13

Gerd Schwarz lachte auf. »Wißt ihr noch, wißt ihr noch...« Bisher hatte er nichts gesagt und hatten ihn die anderen nicht wahrgenommen. Erinnerungen waren von ihm nicht zu erwarten, aber Marko und Dorle, von denen sie auch nicht zu erwarten waren, hatten sich mit gelegentlichen staunenden oder spöttischen Bemerkungen beteiligt. Gerd Schwarz war den ganzen Abend stumm dabeigesessen. Jetzt redete er, überdeutlich in der Artikulation, schneidend im Ton.

»In der kleinen Stadt, in der ich aufgewachsen bin, habe ich alle paar Wochen mit Freunden in einer Kneipe Doppelkopf gespielt. Eines Abends bekam ich mit, daß die fünf Alten am Stammtisch alle in der SS gewesen waren. Ich habe mich an den Tisch daneben gesetzt und die Ohren gespitzt. Wißt ihr noch, wißt ihr noch – so ging's den ganzen Abend. Nicht wißt ihr noch, wie wir in Wilna die Juden erschlagen und in Warschau die Polen erschossen haben, ist klar, sondern: Wißt ihr noch, wie wir in Warschau Champagner gesoffen und in Wilna die Polinnen gefickt haben. Und wißt ihr noch, wie der Barbier die Alten mit den langen Bärten geschoren hat, haha? – Ihr seid nicht anders. Wie wär's mit: Weißt du noch, wie du beim Banküberfall die Frau erschossen hast? Oder an der Grenze den Polizisten? Oder den

Bankchef? Oder den Verbandspräsidenten? Gut, bei dem wissen wir nicht, ob du's warst oder ein anderer. Wie wär's, Papa? Magst du deinem Sohn nicht sagen, ob du's nun warst?«

Jörg sah seinen Sohn verstört an. »Ich...«

»Ja?«

»Ich weiß es nicht mehr.«

»Du weißt es nicht mehr? Du weißt nicht, ob du ihn erschossen hast oder ein anderer?« Er lachte wieder. »Am Ende weißt du es wirklich nicht, und die Alten wußten auch nicht mehr, daß sie Juden erschlagen und erschossen und vergast haben.«

Wie hatten sie das übersehen können? Die anderen konnten es nicht fassen. Jetzt sahen sie die Ähnlichkeit zwischen Vater und Sohn, den großen Wuchs, das kantige Gesicht, den Schnitt der Augen. Christiane konnte den Blick nicht von dem jungen Mann lassen, den sie im Alter von zwei Jahren das letzte Mal gesehen hatte und von dem sie nur wußte, daß er Ferdinand Bartholomäus hieß, nach Ferdinando Nicola Sacco und Bartolomeo Vanzetti, daß er nach dem Selbstmord der Mutter bei den Großeltern aufgewachsen war und daß er in der Schweiz studierte. Kunstgeschichte? Oder war das nur ein Trick gewesen, um ins Haus eingeladen zu werden?

Ferdinand sah seinen Vater voller Verachtung an. »Du weißt es nicht mehr – seit wann? Wann hast du's vergessen? Oder verdrängt? Oder wann kam die Amnesie wie ein Schlag auf den Kopf und hat's, bumm, ausgelöscht? Oder kam sie gleich nach der Tat? Oder habt ihr so viel getrunken, daß ihr ihn im Nebel des Suffs ermordet habt? Ich kenne sie alle, die Kinder der Frau und des Polizisten und des Bankchefs und des Präsidenten. Sie wollen wissen, was du dir gedacht hast, und der Sohn des Präsidenten will endlich wissen, was du gemacht hast, was ihr gemacht habt, wer von euch seinen Vater ermordet hat. Verstehst du das?«

Jörg war unter der Verachtung seines Sohns erstarrt. Er sah ihn mit aufgerissenen Augen und halboffenem Mund an, unfähig zu denken, unfähig zu reden.

»Du bist zur Wahrheit und zur Trauer so unfähig, wie die Nazis es waren. Du bist keinen Deut besser – nicht, als du Leute ermordet hast, die dir nichts getan haben, und nicht, als du danach nicht begriffen hast, was du getan hast. Ihr habt euch über eure Elterngeneration aufgeregt, die Mörder-Generation, aber ihr seid genauso geworden. Du hättest wissen können, was es heißt, Kind von Mördern zu sein, und bist Mörder-Vater geworden, mein Mörder-Vater. So, wie du schaust und redest, tut dir nichts von dem leid, was du getan hast. Dir tut nur leid, daß die Sachen schiefgegangen sind und du gefaßt wurdest und ins Gefängnis mußtest. Dir tun nicht die anderen leid, du tust dir nur selbst leid.«

Dümmlich sah Jörg in seiner Erstarrung aus. Als begreife er nicht, was ihm gesagt wurde, sondern nur, daß es furchtbar war. Es wollte ihm alle Erklärungen und Rechtfertigungen zerschlagen, wollte ihn vernichten. Und mit diesem Ankläger konnte er nicht streiten. Er sah keinen gemeinsamen Boden, auf dem er ihm begegnen, auf dem er ihn besiegen könnte. Er konnte nur hoffen, daß das furchtbare Gewitter weiterzöge. Aber er fürchtete, daß das eine falsche Hoffnung war. Daß dieses Gewitter bleiben und sich erst erschöpfen würde, wenn alles zerstört wäre. Also mußte er doch versuchen, sich zu schützen und zu wehren. Irgendwie. »Ich muß mir das nicht anhören. Ich habe für alles bezahlt.«

»Da hast du recht. Du mußt dir von mir nichts anhören. Du hast dir auch nie was von mir angehört. Du kannst aufstehen und aufs Zimmer flüchten oder in den Park, und ich werde dir nicht hinterherlaufen. Aber erzähl mir nicht, daß du für alles bezahlt hast. Vierundzwanzig Jahre für vier Morde? Ist ein Leben gerade mal sechs Jahre wert? Du hast nicht bezahlt für das, was du getan hast, du hast es dir vergeben. Vermutlich schon bevor du es getan hast. Aber vergeben können nur die anderen. Die tun es nicht.«

Es ist grausig, dachte Henner. Der Sohn, der über den Vater zu Gericht sitzt. Der Sohn im Recht und der Vater im Unrecht. Der Sohn, der ins Eifern, und der Vater, der in den Trotz flieht. Der Sohn, der nicht seinen Schmerz, und der Vater, der nicht seine Hilflosigkeit zuläßt. Wie soll das gehen? Was sollen die beiden machen? Was sollen wir machen? Karin saß ihm gegenüber, und er sah ihr an, daß auch sie grausig fand, was vor ihren Augen geschah, und daß auch sie nicht wußte, was zu tun sei. Dann versuchte sie's doch. »Ich kann mir vorstellen...«

»Nein, Sie können sich nichts vorstellen. Nicht, wie das ist, wenn die Mutter oder der Vater ermordet werden, und auch nicht, wenn der Vater ein Mörder ist. Und mein Vater kann sich's erst recht nicht vorstellen. Er will es sich nicht vorstellen. Meinen Sie, er hat uns geschrieben, als Mutter sich umgebracht hat? Oder mir zum Abitur gratuliert? Oder zum Beginn des Studiums? Meinen Sie, ich hätte jemals einen Brief von meinem Vater bekommen?«

»Das tut mir leid. Ihr Vater hat es einfach nicht geschafft, Ihnen zu schreiben. Er hat...«

»Aber ich habe ihm geschrieben.« Jörg war ganz aufgeregt. »Ich habe ihm aus dem Gefängnis Briefe und Karten geschickt, aber sie kamen alle wieder zurück, und dann habe ich's aufgegeben. Ich habe ihm geschrieben.«

»Was soll darin gestanden haben?«

»Wie soll ich das noch wissen? Es ist zwanzig Jahre her. Ich glaube, ich habe dir erklärt, warum ich nicht bei dir bin, sondern im Gefängnis. Von der Unterdrückung in der Welt habe ich geschrieben und vom Kampf, den wir führen, und von den Opfern, die wir bringen müssen. Ich habe... Was hätte ich dir denn schreiben sollen?«

Ferdinand sah Jörg weiter voller Verachtung an. »Ich glaube dir kein Wort. Was dir nicht in die Erinnerung paßt, vergißt du, und was dir in der Erinnerung fehlt, erfindest du. Wahrscheinlich war deine Rolle bei der Ermordung des Präsidenten so widerlich, daß du die Erinnerung nicht ertragen kannst. Und daß dein Kind dich nicht interessiert hat, kannst du auch nicht ertragen – oder deine Freunde finden es so erbärmlich, daß du ihnen was vorlügen mußt. Du bist...« Ferdinand brach ab; er wollte nicht sagen, was sein Vater war. Wollte er nicht sagen, daß er ein Schwein war? Wollte er über andere nicht reden, wie sein Vater geredet hatte? Er fuhr fort: »Auch Mutter hast du ermordet. Nicht mit deinen Händen. Aber ermordet hast du sie. Als sie sich in dich verliebt hat und ihr mich gemacht habt... Sie hat ihr Herz und ihr Leben hineingelegt, so war sie, jeder, der sie kannte, sagt es, und mach mir nicht vor, du hast es nicht gewußt.« Er kämpfte mit den Tränen. Aber vor diesem Vater und seinen Freunden würde er sich keine Blöße geben. Seine Stimme brach nicht. »Aber wahrscheinlich wirst du mir genau das sagen. Du hast es nicht gewußt oder weißt nicht mehr, was du gewußt hast. Du hast es vergessen. Oder willst du mir sagen, daß sie mit dir nicht hätte glücklich werden können? Daß du Schlimmeres verhütet hast, indem du sie verlassen hast, statt bei ihr zu bleiben?«

Dann konnte er nicht mehr, stand auf und ging ins Dunkel des Parks. Nach einem Moment des Zögerns stand Karin auf.

»Lassen Sie mal«, sagte Dorle, stand auch auf und ging ihm nach.

Wenn nicht den berühmten Terroristen, dann immerhin den Sohn, dachte Henner und schämte sich. Vielleicht steckte in dem Mädchen mehr, als er ahnte. Der Sohn war ihm nicht geheuer. Je länger er ihm zugehört hatte, desto mehr erinnerte seine Unerbittlichkeit ihn an Jörgs Unerbittlichkeit von damals, und er dachte daran, wie das Unheil sich fort- und fortpflanzt.

14

Bei den ersten Schritten in den Park leuchtete Dorle noch der Schein der Kerzen aus dem Salon. Dann war es völlig dunkel. Sie ging langsam weiter, suchte tastend, wo das Dickicht der Zweige und Blätter begann und wo der Weg verlief, und versuchte, auf Ferdinands Schritte zu lauschen. Dann knackten dicht vor ihr Zweige, und ihre tastenden Hände fanden Ferdinand. Er war im Dunkel nicht weit gekommen.

»Wir gehen zur Bank am Bach«, flüsterte sie und nahm seine Hand, »den Weg zu Ende und dann rechts.« Er sagte nichts, ließ ihr aber seine Hand. Sie führte ihn, und immer wieder ging's ein paar Schritte gut, dann stolperte er oder sie, und sie hielt ihn oder er sie, dann blieben sie stehen, dicht an dicht, um sich zu orientieren. Ihre Augen gewöhnten sich ans Dunkel, und als sie die Runde auf der Terrasse nicht mehr hörten, merkten ihre Ohren auf die Geräusche des Walds, den Gesang eines Vogels, den Ruf des Käuzchens, das Rauschen des Winds in den Blättern. »Das ist eine Nachtigall«, flüsterte Dorle Ferdinand zu, als der Vogel wieder zu singen begann.

Dann waren sie am Bach und an der Bank. Hier war es heller, sie sahen das Wasser fließen, die Bäume enden und das Feld beginnen. Im Dorf hinter den Feldern brannte ein

Licht. Sie sahen einander. »Ich heiße Dorle«, sagte sie, »wie heißt du?«

»Ferdinand.« Sie setzten sich.

»Willst du lieber allein sein?«

»Ich weiß nicht.«

»Weil du mich nicht kennst? Ich bin die Tochter von einem alten Freund deines Vaters, einem Freund aus der Zeit, bevor er Terrorist wurde. Ich glaube nicht, daß die beiden enge Freunde waren; sie gehörten einfach alle zur selben Clique. Mein Vater hat sich schon früh von den politischen Sachen verabschiedet und ist Geschäftsmann geworden, Dentallabors, und ich bin die verwöhnte einzige Tochter. Ich habe gestern abend deinen Vater verführen wollen, aber er wollte nicht, und heute nachmittag hat er geweint, und ich habe ihn getröstet. So bin ich, ich mische mich in Sachen ein, die mich nichts angehen, und wenn sie mich lassen, tue ich den Leuten gut. Bei deinem Vater habe ich mir gesagt, daß mit der Begnadigung das Kapitel Terrorismus und Gefängnis abgeschlossen ist und er wieder leben lernen muß. Ich wußte nicht, daß seine Frau Selbstmord begangen hat und daß es dich gibt.«

»Sie waren nicht verheiratet. Sie hat gehofft, daß er sie heiratet, erst recht, als ich auf die Welt kam. Aber sie hat getan, als sei es ihr egal und als stünde sie über dem bürgerlichen Getue. Bis er sie verlassen hat. Dabei waren sie nie richtig zusammen. Er hat sie nur ein paarmal getroffen, weil sie hübsch war und auf ihn flog. Vielleicht sollte ich mir sagen, daß die Zeiten damals eben so waren, und ihm vergeben, daß er sie und mich hat sitzenlassen. Aber ich kann's nicht.« Er lachte bitter. »Dafür hat auch der Bundespräsident ihn nicht begnadigen können. Mutter hat ihn nicht begnadigt, und ich tu's auch nicht. Und für Mutters Selbstmord...«

»Aber der Selbstmord geschah Jahre, nachdem er sie verlassen hat. Wie alt warst du?«

»Ich war sechs, im ersten Jahr auf der Schule. Nachdem Vater sie verlassen hat, ist Mutter nie mehr zur Ruhe gekommen. Nach dem Mord an der Frau hat sie zu den Eltern und nach dem am Polizisten zur Witwe Kontakt gesucht, aber die Eltern und die Witwe haben in ihr nur die Frau des Mörders gesehen. Mich haben auf dem Schulhof fremde Kinder verhöhnt und verprügelt, und obwohl ich es Mutter nicht erzählt habe, hat sie es erfahren und sich Vorwürfe gemacht. Sie hat sich auch sonst Vorwürfe gemacht: weil ich ohne väterliches Vorbild aufgewachsen bin, weil ich keinen Sport getrieben habe, keinen Fußball oder Handball oder Basketball, weil ihre Eltern sich um sie und mich Sorgen gemacht haben. Na ja, um mich haben sie sich nach Mutters Tod richtig kümmern müssen, und sie haben sich Mühe gegeben, und ich bin ihnen wirklich dankbar. Aber ich wäre lieber mit Mutter und erst recht mit Vater und Mutter aufgewachsen.«

»Soll sich dein ganzes Leben darum drehen? Ich kenne einen Jungen, der davon wie gelähmt ist, daß sein Vater ein großer Wissenschaftler und Nobelpreisträger ist. Es gibt Kinder von berühmten Künstlern oder Politikern, die im Schatten ihrer Eltern verkümmern. Ich kenne Schwule, die im Leben nichts zustande bringen, weil sie ständig ihre Identität als Schwule finden müssen.« Sie wußte nicht, ob er begriff, was sie ihm sagen wollte, mochte ihn aber auch nicht danach fragen. »War dein Vater so, wie du ihn dir vorgestellt hast?«

Er zuckte die Schultern. »Ich habe ihn mir kraftvoller vorgestellt, entschiedener, nicht so erbärmlich. Wie fandest du ihn?«

»Du fandest ihn erbärmlich?«

»Entweder – oder. Entweder er steht zu dem, was er gemacht hat, und sagt, es war und bleibt richtig, oder er findet es heute falsch und bereut es. Mit beidem käme ich zurecht, aber nicht mit seinem kläglichen Gerede, er habe alles vergessen und für alles bezahlt.«

Dorle wußte nicht mehr weiter. Daß die Eltern, wenn man größer wird, immer eine Enttäuschung sind, bot sich zu sagen an. Ihr Vater war auch nicht mehr der Held, den sie als kleines Mädchen in ihm gesehen hatte. Aber er war in Ordnung, und enttäuscht, nein, enttäuscht war sie nicht von ihm. Außerdem sah sie, daß Ferdinand von seinem Vater, wenn er kraftvoller zu seinen Taten stehen oder sie bereuen würde, nicht besser loskäme. Sie spürte, daß er, um von ihm loszukommen, seinen Frieden mit ihm machen mußte. Aber wie? »Liebst du deine Großeltern?«

»Ich denke, ja. Sie waren schon älter und nicht so herzlich, sondern eher zurückhaltend. Aber sie haben mich auf eine gute Schule geschickt und in allem unterstützt, was ich machen wollte, Klavier, Sprachen, Reisen. Ich kann mich nicht beschweren.«

Dorle machte einen neuen Anlauf. »Kannst du deinen Vater verstehen? Ich meine, kannst du's versuchen? Kannst du mit ihm mehr reden und mit deiner Tante und mit seinen Freunden? Du findest ihn erbärmlich – vielleicht wäre er selbst lieber kraftvoller, und es lohnt sich, herauszufinden, warum er's nicht ist.«

Er schnaubte verächtlich.

Sie sah ihn an und wartete. Er sagte nichts weiter. Sie nahm das als gutes Zeichen. »Wenn du's versuchst, verstehst du vielleicht den alten Mann, der sein Leben nicht auf die Reihe gekriegt hat und nicht weiß, wie er damit zurechtkommen soll. Morde, Entführungen und Banküberfälle, Flucht, Gefängnis, aus der Revolution nichts geworden – was für einen Sinn hat ein solches Scheißleben? Aber irgendeinen Sinn muß das eigene Leben doch haben.« Sie sah ihn wieder an. Er zeigte ihr sein Profil mit den aufeinandergepreßten Lippen und arbeitenden Backenmuskeln, und sie fand, daß er hinreißend männlich aussah. Er bückte sich, nahm ein kleines Stück Holz vom Boden und fing an, mit dem Daumennagel daran herumzuschnitzen. Sie hatte das Gefühl, er höre ihr gerne zu und wolle, daß sie weiterrede. Aber was sollte sie noch sagen? »Lebst du noch bei deinen Großeltern?«

Er ließ sich mit der Antwort Zeit. »Manchmal in den Ferien. Im Semester bin ich in Zürich.« Er schnitzte weiter. »Vorhin hätte ich beinahe geweint. Ich kann mich nicht erinnern, wann ich's das letzte Mal getan habe, so lange ist es her. Nach Mutters Tod? Ich würde mir eher was antun, als vor ihm zu weinen. Es war nicht aus Trauer, sondern aus Wut – ich wußte nicht, daß sie genauso weh tun kann wie Schmerz. Er sitzt mir gegenüber, der Bauch hängt über die Hose, die mickrigen Arme ragen aus dem Hemd, das Gesicht ist eingefallen, der Blick ist unklar und unstet, und ich denke, was hat dieses Würstchen alles angerichtet, und die

Wut schnürt mir die Brust zusammen. Du meinst, ich sollte ihn verstehen. Ich dachte oft, ich sollte ihn erschießen.« Er richtete sich auf und legte die Arme auf den Rücken der Bank. »War es richtig oder falsch hierherzukommen?«

»Richtig.«

Er zuckte die Schultern.

»Es ist kühl«, sagte sie und schmiegte sich an ihn.

Er rückte nicht weg, aber das war auch alles. Sie erinnerte sich, wie Jörg, als sie ihn umarmte, steif auf dem Stuhl sitzen blieb, und lachte leise. Wie der Vater, so der Sohn. Aber dann legte Ferdinand doch den Arm um sie.

15

Nachdem Ferdinand und Dorle den Tisch verlassen hatten, blieb Jörg nur noch so lange sitzen, wie er brauchte, um die Kraft zu sammeln, aufzustehen und zu gehen. Er hatte das Gefühl, sich den anderen erklären zu müssen, und setzte ein paarmal an, wußte aber nicht, was er sagen sollte. Auch den anderen hatte es die Sprache verschlagen. Sie sahen in das Licht der Kerzen und in das Dunkel des Parks, und wenn ihre Blicke sich trafen, lächelten sie verlegen. »Gute Nacht« war alles, was Jörg beim Aufbruch zustande brachte, und mehr als »gute Nacht« mochten sie auch nicht antworten. Wenig später stand Christiane auf, um Jörg zu folgen, und diesmal schaute Ulrich nicht spöttisch, sondern nickte.

»Ich läute morgen um neun die Glocke zu einer kleinen Andacht«, sagte Karin, ehe Christiane verschwand. »Nicht daß ich erwarten würde, daß ihr alle kommt, nur damit ihr wißt, warum es läutet.«

Das brach den Bann. Sie ist unerbittlich, dachte Andreas kopfschüttelnd, und Marko kündigte sofort an, er werde nicht kommen. Auch Ilse war verblüfft über Karins Ankündigung, fand dann aber das Ritual einer gelegentlichen Andacht natürlicher als Karins ständiges Bemühen, Konflikte zu entschärfen und Harmonie zu schaffen. Ingeborg sagte:

»Ach, wie schön, wir kommen gerne«, und Ulrich war's zufrieden, wieder spöttisch schauen zu können. Margarete dachte über der Ansage von Uhrzeit und Glockengeläut an Frühstück, Geschirr und Abwasch. »Wer hilft mir nachher?« Alle waren bereit, und warum nicht gleich und warum nicht das letzte Glas Wein danach?

Als sie später wieder zusammen auf der Terrasse saßen, sagte Eberhard: »Wir müssen morgen am frühen Nachmittag aufbrechen. Karin wird Jörg einen Job in ihrem Archiv anbieten. Fällt einem von euch ein, was wir noch tun könnten, um es Jörg und Christiane leichter zu machen?«

»Ich habe ihm schon gesagt, daß er gerne in einem meiner Labors arbeiten kann.«

»Ich will, wenn er schreiben will, ihm gerne helfen, es unterzubringen.«

Marko setzte mit »Also, ich meine...« an und wurde von Andreas unterbrochen. »Ja, wir wissen, daß du meinst, wir sollten ihn in Ruhe und wieder Revolution machen lassen, das einzige, was er hat machen wollen und, wenn man so will, mit einem gewissen Erfolg gemacht hat. Vergiß die Revolution. Aber in Ruhe lassen – da hast du recht. Jörg weiß, daß wir ihm helfen können, wenn es um den Job geht, und wird uns fragen, wenn er uns braucht. Laß du ihn auch in Ruhe.«

»Hör mit dem anmaßenden Gerede auf. Du hast mir nicht zu sagen, was ich zu tun und zu lassen habe, und Jörg hast du's auch nicht zu sagen. Du tust, als kennst du Jörg besser als ich, aber alles, was du kennst, ist der angeklagte, der verurteilte, der gefangene, der schwache Jörg. Ich kenne einen anderen. Du hast den Traum von der Revolution verraten, ihr alle habt den Traum verraten und euch kaufen und korrumpieren lassen. Nicht mit mir und nicht mit Jörg. Ihr werdet ihn nicht zum Verräter machen.« Zuerst begriffen die anderen nicht, warum Marko sich immer mehr in Rage redete. Bis er sagte: »Ihr werdet sie ihm nicht mehr nehmen können – ich habe die Presseerklärung heute rausgegeben.« Marko hatte sich ins Recht reden wollen.

Andreas sah Marko müde und mit einem Hauch von Ekel an. Er stand auf und fragte in die Runde: »Wo ist im Park die Stelle, an der man telephonieren kann?«

Auch Margarete stand auf. »Komm!«

Marko schlug mit der Hand auf den Tisch. »Seid ihr verrückt? Ihr wollt Jörgs Leben kaputtmachen, ohne auch nur mit ihm zu reden?« Er sprang auf, war mit ein, zwei Sätzen bei Andreas, schlug ihm das Telephon aus der Hand, bückte sich, griff es, richtete sich auf und warf es in den Park. Triumphierend und kämpferisch tänzelnd stellte er sich Andreas gegenüber. Der wandte sich an Karins Mann und fragte müde: »Kann ich deines haben?« Eberhard nickte, holte das Telephon aus der Tasche und gab es Andreas. Wieder setzte Marko dem weggehenden Andreas nach. Aber diesmal streckte Ilse ihr Bein aus, und Marko stolperte, stürzte und kam zusammen mit Margaretes leerem Stuhl so krachend auf dem Boden auf, daß Ilse mit einem kleinen Laut des Erschreckens die Hand vor den Mund schlug.

Einen Augenblick lang hielten alle den Atem an. Dann richtete Marko sich benommen auf, mochte nicht aufstehen, lehnte sich mit dem Rücken an Ilses Stuhl. Andreas und Margarete gingen in den Park. Ulrich sagte zu seiner Frau: »Schau, er ist noch ganz. Mir langt's für heute. Dir auch?«

Sie reichte ihm die Hand, und beide nickten den anderen zu und gingen. Karin sah ihren Mann fragend an. Auch er nickte, stand auf, und sie tat es ihm nach. Aber dann stand sie unschlüssig, bis Henner sagte: »Geht ruhig!« und Ilse beipflichtete: »Ja, geht schlafen!«

Marko sagte verwundert: »Ich bin gestolpert.« Er hielt sich den Kopf mit beiden Händen.

Ilse strich ihm übers Haar. »Ich habe dir das Bein gestellt.«

»Wirklich?«

»Wirklich.«

»Ich hatte Streit.«

»Du hattest Streit mit Andreas. Und wenn Andreas zurückkommt, solltest du im Bett liegen. Wir wollen nicht, daß es noch mehr Drama gibt, wir hatten genug Drama für einen Tag. Henner hilft dir in dein Zimmer. Hast du Aspirin? Nein? Ich bring dir welches, wenn ich ins Bett gehe.«

Eine Weile saß Ilse allein auf der Terrasse. Dann kam Henner wieder und berichtete ihr, daß Marko sofort eingeschlafen war; vielleicht hatte er eine kleine Gehirnerschütterung. Auch Andreas und Margarete ließen sich über Marko berichten, als sie aus dem Dunkel des Parks wieder in das Licht der Terrasse zurückkehrten. Andreas hatte einen halben Erfolg gehabt. »Die Agenturen haben die Meldung über die Presseerklärung rausgenommen. Aber ein paar Stunden war sie drin, und es wird Zeitungen geben, die sie bringen und von denen ich zwar eine Gegendarstellung kriegen kann, aber mißlich bleibt's.«

»Haben wir noch Wein?«

»Neben der Tür steht Ulrichs Bordeaux.«

Es gab noch eine Flasche, sie schenkten ein und stießen noch mal an. »Darauf, daß der Fluch endet«, sagte Margarete. »Darauf, daß der Fluch endet«, wiederholten die anderen.

»Was für ein Fluch?« fragte Andreas nach einer Weile.

»Ist es nicht ein Fluch, was von der Generation vor Jörg auf Jörg und von Jörg auf seinen Sohn geht? Mir kommt es wie einer vor.« Sie sah Andreas' skeptischen Blick und lächelte ihn an. »Wir sind hier draußen ein bißchen zurück. Zu uns kommen im Herbst mit den Nebeln noch die Geister, und wenn's im Sommer nachts ruft, sind es nicht nur die Käuzchen. Bei uns gibt es noch Hexen und Feen, und es gibt Flüche, die manchmal erst nach Generationen von uns genommen werden.« Sie stand auf und die anderen mit ihr, und sie umarmte Andreas und Ilse und sagte zu Henner: »Bringst du mich nach Hause?«

16

Als Christiane Jörg aufs Zimmer folgte, saß er auf dem Bett und starrte auf den Boden. Sie setzte sich neben ihn und nahm seine Hände in ihre.

»Meinst du, mein Sohn ist morgen noch da?«

»Hättest du das gerne?«

»Ich weiß nicht. Ich wußte nicht, daß alles so schwer werden würde. Man sollte meinen, ich hätte mir alles reiflich überlegen können, und ich hab mir auch alles reiflich überlegt. Aber es ist wie mit dem Schwimmen, erinnerst du dich? Ich habe als Junge einen Sommer lang zu Hause mit dem Bauch auf dem Stuhl gelegen und Schwimmbewegungen geübt, bin aber den ganzen Sommer mit meinen richtig geübten Bewegungen im Wasser untergegangen. Im Gefängnis lag ich auf dem Stuhl, jetzt bin ich im Wasser.«

»Aber eines Tages konntest du schwimmen – weißt du noch, wie das kam?«

»Und ob ich das noch weiß! Im Herbst sind wir mit Tante Klara ins Tessin an den Langensee gereist, und du bist mit mir in den See geschwommen, und es hat geklappt.«

»Hier übst du ein Wochenende lang mit den Freunden, und wenn wir in die Stadt gehen, klappt's.«

»Nein.« Er schüttelte den Kopf. »Ich muß es morgen schaffen, wenn es dann nicht schon zu spät ist.«

»Vielleicht war das Wochenende ein Fehler – es tut mir leid. Ich habe...«

»Nein, Christiane, woran ich stoße und mich verletze, sind meine Grenzen. Ich muß mich auch selbst am Schopf aus dem Sumpf ziehen.« Er legte kurz die Stirn an ihre Schulter. »Ich weiß vieles wirklich nicht mehr. Ich weiß nicht mehr, wer geschossen hat. Ich weiß nicht mehr, ob ich Jan in Amsterdam treffen sollte und habe hängenlassen. Ich weiß nicht mehr, wie die palästinensische Ausbilderin hieß und ob wir was miteinander hatten. Ich weiß nicht mehr, was ich über Jahre im Gefängnis gemacht habe – irgend etwas muß ich gemacht haben, aber es ist weg.«

»Wir können nicht alles im Gedächtnis behalten.«

»Das weiß ich auch. Aber mir ist, als seien mir die Sachen aus dem Gedächtnis herausgebrochen worden, nicht alte unwichtige Sachen, die absinken müssen, damit neue wichtige Sachen Platz finden, sondern Teile von mir. Wie kann ich mir noch trauen?«

»Gib dir Zeit, Böckchen, gib dir Zeit.«

Er lachte. »Das haben wir noch nie gekonnt, Tia. Uns Zeit geben, es laufenlassen, das Leben nehmen, wie es kommt, es uns gutgehen lassen – wir haben es nie gelernt.«

»Die Engländer haben ein Sprichwort von alten Hunden, die neue Tricks lernen.«

»Nein, Tia. Old dogs don't learn new tricks – das englische Sprichwort sagt das Gegenteil.«

Beide schwiegen. Christiane merkte, daß sie weniger Angst hatte als am Abend davor. Das erstaunte sie; keines der gestrigen Probleme war gelöst, und die heutigen waren's auch nicht. Warum machten sie ihr weniger angst?

Sie hörte an Jörgs Atem, daß er eingeschlafen war. Er saß auf dem Bett, in sich gesackt, vornübergebeugt, die Hände im Schoß. Sie stupste ihn leicht, und er sank zur Seite und aufs Bett. Sie zog ihm die Schuhe aus, legte seine Beine hoch, zog das Laken unter ihm hervor und breitete es über ihn. Dann stand sie eine Weile am Bett, sah ihrem Bruder beim Schlafen zu und hörte, wie aus den ersten Tropfen des Regens ein gleichmäßiges Rauschen wurde.

Sie sah alles in ihrem schlafenden Bruder: seinen Ernst, seine guten Absichten, seinen Eifer, seinen Mangel an Distanz – zu allem und auch zu sich selbst, seine Enge, seine Selbstüberschätzung, seine Rücksichtslosigkeit, seine Hilflosigkeit. Hätte sie ihn mögen gelernt, wenn sie ihm zufällig begegnet wäre? Sie war ihm nicht zufällig begegnet. Er war ihr Bruder, den sie aufgezogen und begleitet und umsorgt hatte. Er war ihr Schicksal, sie konnte machen, was sie wollte. Leise ging sie in ihr Zimmer.

Schließlich schliefen alle. Andreas, nachdem er im Zimmer noch eine Viertelstunde lang auf und ab gegangen war und sich noch mal geärgert und wieder beruhigt und noch mal juristische Optionen durchgespielt hatte. Ilse, nachdem sie erwogen und verworfen hatte weiterzuschreiben und beschlossen hatte, am frühen Morgen wieder zur Bank am Bach zu gehen.

Dorle und Ferdinand hatten die Bank verlassen, als die Terrasse schon leer und dunkel war. Es hatte zu regnen begonnen, und zuerst war's ein milder Sommerregen, der die beiden einhüllte wie ein leichter, warmer Atem. Dann wurde der Regen kälter, Dorle fröstelte, und sie gingen ins Haus. »Ich habe kein Zimmer«, flüsterte Ferdinand, und

Dorle flüsterte zurück: »Du kommst mit zu mir.« Auf der Treppe blieb er stehen. »Ich bin … Ich habe noch nie …« Dorle nahm seinen Kopf in beide Hände und küßte ihn. Sie lachte leise. »Ich habe schon.«

Ulrich und seine Frau hörten, wie ihre Tochter mit Ferdinand in ihr Zimmer ging und wie die beiden sich liebten. »Müssen wir nicht …« – »Nein, wir müssen nicht«, sagte Ulrich und hielt seine Frau in den Armen, bis das Rauschen des Regens ihr Herz erreichte. Dann liebten auch sie sich.

Karin lag wach, hörte den Atem ihres Manns und dachte an die Andacht am nächsten Morgen. Sie anzusetzen war ein Reflex gewesen, in zahllosen Konfirmandenwochenenden, Rüst- und Freizeiten, Tagungen und Synoden eingeübt. Aber sie konnte den Freunden nichts Eingeübtes präsentieren. Jedes Wort mußte stimmen. Sie durfte nur sagen, was sie wirklich wußte. Aber was wußte sie? Sie wußte, daß sie nicht wie Ilse das Bein hätte ausstrecken und Marko stolpern machen können, und schämte sich.

Am glücklichsten schliefen Margarete und Henner ein. Sie waren glücklich, weil nichts am anderen sie störte, nichts sie ärgerte. Man guckt zwar darüber hinweg, wenn es in den Tagen und Wochen des Sich-Verliebens passiert, aber wenn es gar nicht erst passiert … Sie waren glücklich, weil ihnen alles gefiel, was sie voneinander erfahren hatten. Es war nicht viel; sie hatte nicht von ihren Übersetzungen und er nicht von seinen Reportagen gesprochen, sie hatten einander weder ihre Familien noch Freunde, noch Lieblingsbücher und -filme vorgestellt. Aber wie er Christiane geholfen hatte, hatte Margarete gefallen und ihm die Mischung aus Zweifel und Nachsicht, mit der sie ihn danach angesehen hatte. Sie waren glücklich, weil sie einander so gerne rochen und schmeckten und fühlten. Sie lagen nackt in Margaretes Bett und genossen, daß ihre Körper einander mochten, daß sie das nicht unabhängig von ihren Herzen taten, daß es aber ein eigenes Mögen, ein eigener Schatz war. Sie hörten den Regen nicht nur durchs offene Fenster, sondern auf dem Dach über ihnen. Sie schliefen in einem Haus aus Regen ein.

17

Der Regen tränkte den Sandboden, sammelte sich in Rinnsalen und Pfützen, spülte jede Erhebung hinab, stand im Hof, schwemmte in den Keller. Er tat den Pflanzen gut. Bislang war der Sommer trocken gewesen, und alles kümmerte, die Hortensien am Hoftor und vor der Haustür, die Himbeeren und Tomaten neben dem Gartenhaus, sogar die Eichen, deren Blätter Frische und Farbe verloren hatten. Als Margarete mitten in der Nacht aufwachte und das Rauschen des Regens hörte, lauter, so kam's ihr vor, als beim Einschlafen, freute sie sich auf die Hortensien, die am nächsten Morgen leuchtender blühen würden, auf die reife Fülle der Himbeeren und Tomaten, auf die strahlende Stattlichkeit der Eichen. Sie schlief wieder ein, wachte wieder auf, und der Regen rauschte immer noch vor den Fenstern und auf dem Dach.

Auch das gehört zu diesem Land. Daß der Regen aus tiefen grauen Wolken es zudeckt, daß die Tropfen in dünnen Schnüren fallen wie auf japanischen Zeichnungen, daß der Boden naß und schwer wird und an den Schuhen klebt. Daß der Regen nicht aufhören will und nur der Verstand einen vor der Angst rettet, es ergieße sich eine Sintflut aufs Land. Denn so fühlt der Regen sich an: wie eine Sintflut, die erst enden wird, wenn alles unter Wasser steht.

Margarete wußte, das Wasser würde in den Keller dringen, durch das rostige Wellblech auf den Dachboden und, wenn das Rinnsal zwischen den beiden Häusern wiederkehrte und anschwoll, in die Küche. Nachdem diese kleinen Katastrophen zum ersten Mal passiert waren, hatte Margarete beim nächsten großen Regen mit Sandsäcken und Plastikplanen zu sichern versucht. Es hatte nicht viel geholfen. Sie mußte trotzdem den Keller ausschöpfen und auf dem Dachboden aufwischen. Eines Tages mochten Christiane und sie das Geld haben, Drainagen ums Haus zu bauen und das Dach zu erneuern. Wenn sie das Geld nie haben würden, war es Margarete auch recht. Die Sintflut gehörte zu dem Land, das sie liebte. Und zu der Liebe zum Land gehörte für Margarete die Bereitschaft, sich in das zu ergeben, was es bringt: Kälte, Hitze, Melancholie, Trockenheit, Sintflut.

Margarete drehte sich auf die Seite, Rücken an Rücken, Po an Po mit Henner. Sie konnte sich nicht erklären, warum dieses Aneinanderliegen so beruhigend war, aber es war's. Wie würde es zwischen ihnen weitergehen? Er manchmal bei ihr auf dem Land, sie manchmal bei ihm in der Stadt und manchmal eine gemeinsame Reise? Sie wußte selbst nicht, wie sie's wollte. Sie liebte ihre Freiheit und Einsamkeit. Zugleich hatte das bißchen Nähe mit Henner eine Sehnsucht nach Gemeinsamkeit geweckt, von der sie nicht gewußt hatte, daß sie noch in ihr wartete. Aber in die Stadt würde sie nicht ziehen. Das Land würde sie nicht verlassen.

Sie hörte dem Rauschen des Regens zu. Erinnerungen tauchten auf. Die Nacht in der Hütte auf dem Feld, als sie siebenjährig von zu Hause weggelaufen war und vom Regen überrascht wurde und noch nicht sicher war, ob der Regen nicht alles überfluten und wegschwemmen würde. Der Sommer beim Ernteeinsatz, als sie tagein, tagaus mit klammen Händen Kartoffeln aus dem Matsch graben und säubern mußten. Der Samstag, an dem ihre beste Freundin heiratete und Bretter über die große, tiefe Pfütze vor dem Eingang des Amts gelegt werden mußten, ehe Bürgermeister, Paar und Gäste hineinkonnten. Die Depressionen, in die sie gefallen war, wenn der Regen überhaupt nicht mehr aufgehört hatte.

Dann zählte sie in Gedanken, wie viele Eimer es im Haus gab. Fünf? Sechs? Sie würden, wenn der Regen vorbei war, eine Kette bilden und den Keller leer schöpfen. Marko würde den Eimer an Andreas weitergeben, Andreas an Ilse, Ilse an Jörg – lächelnd schlief sie wieder ein.

Sonntag

1

Ilse schlief nicht tief, wachte oft auf und war mit dem Morgengrauen hellwach. Sie trat ans Fenster und sah Hof, Eiche und Scheune in den Schleier des Regens gehüllt. Nichts war's mit dem Schreiben auf der Bank am Bach. Ilse nahm Waschkrug und -schüssel vom Tisch und rückte Tisch und Stuhl ans Fenster. Es war zum Schreiben gerade hell genug.

Ilse wußte nicht, woher ihr in den letzten beiden Tagen die Gewißheit zugewachsen war, daß sie schreiben wollte. War sie während der Monate, in denen sie mit dem Gedanken ans Schreiben gespielt hatte, im verborgenen entstanden? War sie die trotzige Antwort auf das Lebensgefühl der Ungewißheit, das sie bei den anderen zu spüren meinte? War sie das Ergebnis des Erschreckens über Jörg, der ein falsches Leben mit hohem Einsatz gelebt hatte, um am Ende mit leeren Händen dazustehen? Einerlei, sie hatte die Gewißheit.

Zugleich war sie ungewiß, wie sie Jans Geschichte weiter- und zu Ende erzählen sollte. Sie konnte mit seiner Geschichte die bekannte Geschichte des Terrorismus in Deutschland erzählen – sie mußte sie ohnehin recherchieren. Sie konnte auch erzählen, was sie nicht recherchieren konnte, sondern phantasieren mußte: die Geschichte der bislang nicht aufgeklärten Morde und nicht gefaßten Terroristen. So oder so – zu welchem Ende sollte sie die Geschichte bringen? Wird Jan gefaßt? Wird er erschossen? Geht er beim Basteln einer Bombe in die Luft? Und was geschieht, wenn er gefaßt wird? Sitzt er seine Zeit ab? Wird er freigepreßt? Bricht er aus? Nein, dann geht die alte Geschichte nur weiter. Er muß seine Zeit absitzen. Aber wie geht es ihm dabei? Fühlt er sich als Gefangener des Kriegs, den er geführt hat? Fühlt er sich als Opfer? Trotzt er? Bereut er?

Wie hätten wir unsere Terroristen gerne? Ilse mußte entscheiden, wie jemand mit seiner Vergangenheit als Terrorist eigentlich umgehen soll. Sie verstand die Forderung, der Terrorist solle Aufklärung leisten und Reue zeigen. Die Angehörigen der Opfer wollen wissen, was passiert ist, und die Gesellschaft braucht ein Zeichen, daß der Terrorist wieder in den Gesellschaftsvertrag aufgenommen werden will. Trotzdem hatte Jörg sie gerührt, als er den Antrag auf Begnadigung voller Stolz und Trotz gestellt hatte.

Oder nicht? Hatte gar nicht der Jörg sie gerührt, der den Antrag auf Begnadigung gestellt hatte, sondern der stolze und trotzige Junge, an den er sie erinnerte? In den sie sich als Mädchen verliebt hatte? Hatte nur ihre Erinnerung an ihre Liebe sie gerührt?

Seltsam – seit Freitag hatte sie an ihre Liebe zu ihm kein einziges Mal gedacht, geschweige denn einen Hauch davon gespürt. Er war für sie ein Objekt der Neugier geworden, das sie mit kalten Augen ansah und manchmal überraschend, manchmal befremdlich, immer interessant fand. Sie machte ein Experiment mit sich und erinnerte sich an den

Morgen vor vielen Jahren, als Jörg in den Hörsaal kam. Wie immer saß sie in der fünften Reihe, nahe genug zum Professor, um gut aufpassen zu können, weit genug von ihm, um nicht aufgerufen zu werden. Die Vorlesung über amerikanische Geschichte hatte gerade begonnen, und Jörg gehörte offensichtlich nicht zu den üblichen Hörern. Nachdem er die Tür geschlossen hatte, blieb er stehen, sah sich um, musterte den Professor, die Studenten und Studentinnen, ging schließlich langsam nach vorne und setzte sich in die erste Reihe. Die Sicherheit, mit der er das tat, Lichtjahre entfernt von Ilses Gehemmtheit, dazu sein fröhlich-trotziges Gesicht und seine schlanke Gestalt in Jeans und blauem Hemd über weißem T-Shirt – sie verliebte sich in ihn. Als er aufstand und eine Diskussion über den amerikanischen Imperialismus und Kolonialismus forderte, fand sie, was sie sonst ärgerlich gefunden hätte, mutig und lebendig. Mit ein paar anderen lief sie ihm am Ende der Veranstaltung nach und lernte so seine Gruppe und die Politik kennen. Sie erinnerte sich genau, wie ihr Gefühl für Jörg sie überwältigte, wie hilflos sie war und mit welcher Hartnäckigkeit sie seine Nähe suchte, ohne Rücksicht darauf, wie sie wirken mochte, und ohne Hoffnung, ihn für sich zu erobern. Ja, das Mädchen, das sie damals war, rührte Ilse, und es rührte sie auch der Junge, der seine Fröhlichkeit bald verlieren und nur seinen Trotz behalten sollte. Aber er rührte sie nur, weil ihre Liebe mit der Wahrnehmung seiner Fröhlichkeit begonnen hatte.

Hatte das Schreiben, zunächst in ihrer Vorstellung und dann in der Wirklichkeit, sie kalt werden lassen? Oder hatte sie zum Schreiben gefunden, weil sie kalt geworden war?

Weil sie aufgehört hatte zu lieben? Hatte sie's verlernt? Waren die Katzen ihre Gefährten geworden, weil sie sich in ihnen spiegeln konnte wie in ihren Erinnerungen?

Ilse war unbehaglich. Sie mußte herausfinden, warum sie kalt blieb, wo sie hätte gerührt sein können, und ob sie das Lieben verlernt hatte. Es durfte ihr nicht gleichgültig sein. Aber es war ihr gleichgültig. Ja, sie mußte es herausfinden. Aber nicht jetzt. Jetzt drängte die Geschichte. Wie sollte sie sie zu Ende bringen?

Wenn es nicht die Rührung über den stolzen und trotzigen Jörg war, der den Antrag auf Begnadigung gestellt hatte, was war es dann, was sich in ihr gegen einen geläuterten, reuigen, aufklärungsbereiten Jan im Gefängnis sträubte? Sie hielt ihn nicht für möglich. Sie hielt es nicht für möglich, daß einer aus einer bürgerlichen Existenz mit Frau und Kindern und gutem Beruf und gesellschaftlicher Anerkennung aussteigt und Terrorist wird, um nach Jahren im Gefängnis geläutert wieder in ein Leben bürgerlicher Werte zu streben. Allerdings hielt sie es auch nicht für möglich, daß einer im und nach dem Gefängnis einsam am terroristischen Projekt festhält. Was bleibt nach dem Gefängnis noch?

Auf einmal verstand Ilse Jörgs Zerrissenheit. Aber über einen zerrissenen Jan wollte sie nicht schreiben. Also konnte Jan auch nicht festgenommen werden, seine Zeit im Gefängnis absitzen und entlassen werden.

Ilse sah aus dem Fenster in den Regen. Wie endet das Leben eines Terroristen, wenn sein Lauf nicht von Polizei und Gericht und Gefängnis aufgehalten wird? Im Ruhestand? Mit einem amerikanischen Paß und einem Schweizer Nummernkonto? In einem Haus auf dem Land? Auf Reisen und im Hotel? Mit einer Frau? Einsam? Ilse hatte sich nie nach weiten Reisen und fernen Ländern gesehnt, und Urlaub im Odenwald oder am Bodensee oder auf einer friesischen Insel hatte ihr immer gereicht. Jetzt hätte sie gerne mehr von der Welt gekannt und Jan in die Ferne geschickt, an einer Revolution teilnehmen und bei einem Anschlag zu Tode kommen lassen. Einem törichten, furchtbaren, vergeblichen Anschlag – einem Anschlag, in dem sein Leben seine Wahrheit offenbart.

Im Zimmer nebenan hörte Ilse Dielen knarren. Sie sah auf die Uhr; es war sechs, aber draußen wurde es nicht hell, und der dunkle Himmel sah aus, als könnte er's noch lange regnen lassen. Manchmal prasselten die Tropfen gegen das Haus, danach rannen sie die Scheibe hinab. Das Wasser drang zwischen der Fassung der neuen Fenster und dem Mauerwerk durch und stand auf der Fensterbank. Ilse rückte den Tisch zur Seite, zog ihr Nachthemd aus, machte das Fenster auf und bot dem Regen Gesicht und Brüste und Arme. Sie wäre gerne aus dem Zimmer und aus dem Haus gelaufen, nackt, über die Terrasse in den Park, hätte gerne das nasse Gras unter ihren Füßen und die nassen Blätter der Sträucher an ihrem Körper gespürt, wäre gerne in den Bach gesprungen und darin untergetaucht. Aber sie traute sich nicht. Dann stellte sie sich vor, daß aus dem langsamen Bach ein reißendes Gewässer geworden war, daß sie unbedacht gleichwohl hineinsprang, fortgerissen und untergespült wurde. Sie hatte Angst.

Sie schloß das Fenster, zog sich an und stellte den Tisch wieder zurück. Sie schlug das Heft auf, nahm den Stift und schrieb.

2

Der Maitre d' ließ Jan hinein, wies ihm aber keinen Tisch zu, sondern einen Platz an der Bar. »Wenn Mr. Barnett kommt, hole ich Sie.« Jan gab die Tasche an der Garderobe ab und setzte sich.

Auch von seinem Platz an der Bar sah er durch die Fenster auf die Stadt, die Hochhäuser, dazwischen Straßen, den Fluß und die Brücken, dahinter den weiten Teppich der kleinen Häuser, in der Ferne das Riesenrad und den Tower des Flughafens. Am Horizont blitzte das Meer in der Sonne. Der Himmel strahlte blau.

Jan sollte die Tasche an der Garderobe abgeben. Das war alles. Ein Gefallen, um den er von einem libanesischen Bekannten gebeten worden war, der ihm auch schon den einen und anderen Gefallen getan hatte. »Wenn man morgens ins ›Windows on the World‹ will, muß man Mitglied im Club sein. Du kannst das besser als ich.« Der Bekannte lächelte. Jan wog die Tasche mit der Hand; sie war schwer. Der Bekannte lächelte wieder. »Es ist keine Bombe.« – »Was mache ich mit dem Schein der Garderobe?« – »Wir rufen dich an.«

Jan trank Kaffee. Er hatte seinen Auftrag erledigt und konnte zahlen und gehen. Er mußte nur vermeiden, daß sein Abgang auffiel und einer ihm die Tasche brachte.

Der Blick aus den Fenstern hielt ihn fest. All die Häuser, all die Menschen, all die Leben. Die Energie, mit der die Menschen hierhin und dorthin fahren und arbeiten und bauen. Mit der sie die Erde besitzen und gestalten und bewohnen. Und schön wollen sie's haben. Manchmal bauen sie die Spitze eines Hochhauses wie einen Tempel und eine Brücke wie eine Harfe und begraben die Toten in einem grünen Garten am Fluß. Jan staunte. Alles sah richtig aus. Aber er war so weit weg davon, daß er nicht fühlte, daß es richtig war. Ihm fiel das Märchen vom Riesenspielzeug ein. Auf dem Bild im Märchenbuch nahm die Riesentochter einen Pflug hoch, an dem im Geschirr das Pferd und am Zügel der Bauer zappelte.

Er bestellte noch einen Kaffee und ein Wasser. Er würde den Tag über in der Stadt bleiben, am Abend ins Flugzeug steigen und am nächsten Morgen in Deutschland sein. Jedesmal fühlte er die Versuchung, zum Haus seiner Frau zu fahren, sich zu verstecken und heimlich die Söhne zu sehen. Die Universität machte Ferien, und die Söhne mochten zu Hause sein. Jedesmal widerstand er der Versuchung. Er kannte die Adresse und die Telephonnummer. Mehr Verbindung erlaubte er sich nicht.

Er hört das Geräusch, ehe die anderen Gäste über ihrem Frühstück und ihren Gesprächen aufmerken. Laut, dumpf, mahlend, saugend. Als ziehe eine riesige Häckselmaschine ein ganzes Haus in ihren Schlund und zerkleinere es. Im Fenster steht die Stadt schräg, Tische und Stühle rutschen, Geschirr schlägt auf dem Boden auf und zerbricht, die Menschen schreien und halten sich an den Wänden fest, an den Möbeln, aneinander. Jan klammert sich an den Tresen. Die Wände knirschen und ächzen. Die Stadt rückt gerade und sackt wieder ab, nach links, nach rechts, nach links. Ein paarmal schwingt der Turm hin und her. Dann bleibt er stehen.

Für einen Augenblick ist es im Restaurant völlig ruhig. Auch Jan rührt sich nicht. Als ein Telephon in die Stille klingelt, hält er den Atem an, ehe er mit allen anderen loslacht. Der Turm steht, das Telephon geht, die Stadt ist heil, und die Sonne scheint. Aber die Erleichterung hält nur für einen Augenblick. Die Kellner und Kellnerinnen, die ausschwärmen wollen, um die Tische und Stühle zurechtzuschieben, die Gäste, die nach den Servietten greifen, um den verschütteten Kaffee und Orangensaft von Anzug und Kostüm zu wischen, sehen grauen Rauch vor den Fenstern und erstarren.

Diesmal löst sich die Erstarrung nicht in Gelächter. Die Gäste stürzen ans Fenster, drängen zur Tür, in den Flur, zu den Fahrstühlen. Stühle kippen um, zerbrochenes Geschirr knirscht unter den Füßen. Der Maitre d', Telephon am Ohr, versichert den Gästen, er alarmiere die Feuerwehr. Jan sucht in der Garderobe seine Tasche – hat jemand unten eine Bombe gelegt und liegt in der Tasche die nächste? In der Tasche liegt ein Funkgerät. Gäste rufen sich zu, ein Flugzeug sei in den Turm gerast, und Jan fragt sich, ob das Funkgerät das Flugzeug geleitet hat. Die Fahrstühle sind noch nicht da, so lange wartet man sonst nicht auf sie, einer fragt nach den Treppen, aber wie soll man einhundertsechs Stockwerke zu Fuß schaffen, einer holt in der Küche ein Fleischerbeil, zwängt es zwischen die Türen eines Fahrstuhlschachts, andere ziehen und schieben die Türen zur Seite. Sie sehen in den Schacht und sehen Rauch und Flammen und das pendelnde Kabel des Fahrstuhlkorbs. Sie gehen zum nächsten Fahrstuhlschacht und zum dritten und sehen das gleiche.

Die ersten sind schon auf den Treppen. Zu den Gästen des Restaurants stoßen die Teilnehmer einer Konferenz und das Personal, und in den Treppenhäusern stoßen auf jedem Stockwerk weitere Menschen dazu. Keiner drängt, jeder macht, so schnell er kann, und hilft dem anderen, der nicht so schnell kann. Nur die Schritte auf den Stufen sind zu hören, keinem ist danach, etwas Überflüssiges zu sagen, und was wäre in dieser Situation nicht überflüssig. Bis die ersten husten und stehenbleiben und den Abstieg zum Stocken bringen. Jan ist unter ihnen, auch er hustet und bleibt stehen. Als der Mann neben ihm das Taschentuch vor den Mund hält und in den Rauch und die Hitze geht, geht Jan mit. Sie kommen nicht weit. Nach einer halben Treppe nimmt es ihnen den Atem. »Wie weit sind wir gekommen?« – »Sechs, sieben, acht Stockwerke – ich weiß nicht.« Sie gehen zurück, und alle kehren um. Aber auch der Aufstieg stockt bald. Von oben hören sie, daß in den anderen Treppenhäusern auch kein Weiterkommen ist. »Aufs Dach! Wir warten auf die Hubschrauber.«

Jan bleibt zurück. Er fühlt sich nicht gut und setzt sich auf eine Stufe. Das Trappeln der Füße verklingt, aber das Feuer wird lauter, und der Rauch steigt höher. Jan steht auf, öffnet die Tür zum Stockwerk und sieht in eine Halle mit offenen Türen. Er geht von Tür zu Tür, von Büro zu Büro, er weiß nicht, warum er das tut und warum er hierbleibt. Er weiß, er muß auch aufs Dach, gleich wird er losrennen. Er rennt nicht los. Er geht in ein Büro hinein, zwischen Stellwänden und Schreibtischen ans Fenster und sieht, daß auch der andere Turm brennt. Er nickt. Das hätte er den Arabern nicht zugetraut.

Er hört ein leises Klopfen und Rufen und folgt ihm vor eine Tür. Er will sie öffnen, sie klemmt, er reißt an der Klinke, reißt die Klinke ab, tritt die Tür ein. Es ist ein fensterloser Kopierraum, in dem eine junge Frau verstört blinzelt. Sie hat nur das Geräusch gehört und die Erschütterung gespürt, dann ging das Licht aus, und der Turm schwankte, und die Tür klemmte. Sie hat keine Ahnung, was geschehen ist. Sie denkt, sie sei endlich gerettet. Jan faßt sie bei der Hand, rennt los, zieht sie mit. Als er die Tür zum ersten Treppenhaus öffnet, schlagen ihm eine solche Hitze und ein solcher Rauch entgegen, daß er sie sofort wieder schließt. Er rennt zu den anderen Türen, sie, an seiner Hand, fragt verzweifelt, was ist passiert, warum brennt es, wer sind Sie, auch die anderen Treppenhäuser sind nur noch Rauch und Hitze.

Jan geht mit der jungen Frau ans Fenster und zeigt ihr den anderen Turm. Sie fragt: »Wie holen die uns hier raus?« Er weiß nicht, was er sagen soll. »Wissen die, daß wir hier sind? Haben Sie angerufen?« Sie sieht sein ratloses Gesicht. »Sie haben gar nicht angerufen!« Sie nestelt das Telephon aus der Tasche, ruft den Notruf an, meldet Stockwerk und Büro, den Rauch und die Hitze im Treppenhaus. »So«, sagt sie, »was jetzt?« Er spürt, daß der Boden unter seinen Füßen warm wird. Die Luft im Raum ist stickig und schmeckt nach Rauch und Chemie. Jan nimmt einen metallenen Papierkorb und stößt ihn gegen das Fenster, zuerst mit der Bodenfläche, dann mit einer Ecke, und das Glas splittert und birst. Er haut die Reste des Fensters aus dem Rahmen.

»Der Boden wird warm.« Sie hebt den einen Fuß, dann den anderen und lächelt verlegen. Er nickt. »Wir müssen einen Tisch ans Fenster schieben.« Als sie es tun, ist der Boden schon so heiß, daß sie sich beeilen, sie wechseln von einem Fuß auf den anderen, sie sehen drollig aus.

Die junge Frau weiß auch, daß die Hitze den Tisch erreichen wird, auf dem sie jetzt stehen. »Was machen wir dann?«

»Wir springen.«

Sie sieht ihn an und fragt sich, ob das Ernst oder Scherz ist. Sie erkennt, daß er es ernst meint. »Aber…«

»Die haben riesige Sprungtücher aufgespannt. Sie müssen nur aufpassen, daß Sie nicht mit dem Kopf aufkommen.«

Sie beugt sich aus dem Fenster und sieht nach unten. »Ich sehe nichts.«

»Sie können nichts sehen. Die modernen Sprungtücher werden aus durchsichtigem synthetischem Material hergestellt.«

Sie sieht ihn an, glaubt ihm nicht, fängt an zu weinen. »Wir müssen sterben, ich weiß es, wir müssen sterben.«

»Wir fliegen. Wir nehmen uns bei der Hand und fliegen in den Morgen.«

Aber auch das hilft nicht. Sie weint, es schüttelt sie, als er sie in die Arme nehmen und beruhigen will, stößt sie ihn zurück, sie will nach Hause, sie will zur Mama, sie nestelt wieder das Telephon hervor, erreicht nur den An-

rufbeantworter und hinterläßt, daß sie ihre Mutter liebhat. Jan hört zu und fragt sich, ob er sich von seiner Frau und seinen Kindern verabschieden soll, ein erster und letzter Anruf zu Hause. Aber der Moment ist schnell vorbei. Er wird nicht kurz vor dem Tod sentimental. Er will der jungen Frau helfen. Wie das Orchester auf der Titanic.

Der Bodenbelag wird weich, und die Tischbeine sinken ein, nicht alle gleichzeitig, nicht alle gleich tief. Der Tisch kippt und steht schief. Die junge Frau verliert den Stand, schreit auf, will sich festhalten, aber verfehlt Jan, eine Stellwand, den Fensterrahmen, die Arme greifen ins Leere. Sie stürzt aus dem Fenster und fällt, fuchtelt mit den Armen, strampelt mit den Beinen, schreit. Mit Mühe behält Jan die Balance.

Er muß springen. Auch der Tisch wird warm, gleich wird er heiß, wird er brennen, an manchen Stellen des Bodens züngeln Flammen. Jan weiß, daß er nicht schreien und fuchteln und strampeln wird. Aber er will nicht die Muskeln anspannen und die Zähne aufeinanderbeißen. Er will fliegen. Er will das schnelle, schroffe, schmerzlose Ende nicht fürchten und den Flug genießen. Immer wollte er frei sein, alle Bindungen hat er abgetan, er hat im Licht der Freiheit gelebt und mit ihrem Schrekken. Alles, was er getan hat, war richtig, wenn er jetzt fliegt.

Jan springt und breitet die Arme aus.

3

Um neun läutete Karin die Glocke. Sie erwartete nicht, daß viele kommen würden. Sie hoffte sogar, keiner werde kommen und die Andacht werde ausfallen. Sie hatte den Vers über die Wahrheit, die frei macht, vorlesen und ein paar Gedanken über das Leben in der Wahrheit und die Lebenslügen anschließen wollen. Aber die Träume, mit denen sie mehrmals aufgewacht war, irritierten sie. Sie hatte von dem Embryo geträumt, den sie als junge Frau abgetrieben hatte, von ihrem Mann, der auf einer Bank saß, lächelte, mit dem Kopf wackelte und sie nicht erkannte, von ihrer früheren Gemeinde, die aus künstlichen Menschen bestand, pflegeleicht wie die Frauen von Stepford. Die Träume wollten sie vor Lügen über das Leben in der Wahrheit warnen. Aber warum? Sie hatte nicht vorgehabt, das Leben in der Wahrheit zu fordern und die Lebenslügen zu verurteilen. Sie hatte ihrem Mann nie von ihrer Abtreibung erzählt.

Sie hätte es getan, wenn er gefragt hätte. Aber er hatte nicht gefragt, auch nicht, als sich herausstellte, daß sie keine Kinder haben konnten und daß es an ihr lag. Manchmal dachte sie, er ahne es; er wußte, daß sie wilde Jahre hinter sich hatte und über manches, was sie damals getan hatte, nicht glücklich war, und fragte vielleicht aus Liebe nicht.

Sollte sie dieses Schweigen aus Liebe durch ein Bekenntnis entwerten?

Karin ging in das große Zimmer, machte die Türen auf, ließ die Luft herein, stellte sich in den Türrahmen und sah in den Park und den Regen. Sie atmete Kühle und Feuchtigkeit, vergaß für einen Augenblick ihre Sorge um die Andacht und fühlte sich schön und stark. Sie genoß ihre Stärke. Sie war eine disziplinierte, belastbare Arbeiterin, brachte, wenn andere überfordert und aufgeregt waren, Ruhe und Struktur hinein und plante und entschied mit leichter, sicherer Hand. Sie war gut in ihrem Amt; sie lehrte ihre Kirche, mit weniger Steuern und weniger Gläubigen zu leben, fand, wenn sie in der Öffentlichkeit das Wort zu den Fragen der Zeit ergriff, den richtigen Ton und sah denen, die ihren Rat suchten, betroffen und anteilnehmend ins Gesicht. Manchmal hatte sie den Verdacht, ihr Herz sei nicht mehr bei der Sache und sie mache ihren Beruf nur gerne, weil sie ihn gut machte. Aber sollte sie ihn darum aufgeben? Sie genoß auch, daß sie eine schöne Frau war. Sie war schlank, hatte große braune Augen und ein glattes, straffes Gesicht, zu dem der graue Bubikopf wie eine modische Raffinesse aussah. Sie wirkte selbst dann jünger, als sie war, wenn sie mit gerunzelten Brauen grimmig schaute. Wenn sie ihren Gedanken und Träumen nachhing oder sich beim Geigen- oder Klavierspielen konzentrierte, strahlten ihre Augen in einem Glanz, der nicht kindlich und doch, wie das Strahlen eines Kindes, ein Glanz aus einer anderen Welt war – ihr Mann hatte es ihr so oft gesagt, daß sie es wußte, obwohl sie es im Spiegel nicht sehen konnte. Manchmal setzte sie es ein.

Sie stellte fünf Stühle in lockerer Runde auf. Wenn weniger kämen, sähe es nicht leer aus, wenn mehr, könnte die Runde ergänzt werden. Sie hörte Schritte auf der Treppe. Ihr Mann begrüßte sie mit einem Kuß, setzte sich wortlos und schloß die Augen. Andreas sah belustigt zu, sagte auch nichts und machte, als er saß, auch die Augen zu. Jörg setzte sich nicht in die Runde, sondern an die Wand, stützte die Arme auf die Knie und guckte auf den Boden. Auch sein Sohn und Dorle mieden die freien Stühle in der Runde, rückten aber zwei Stühle ins zweite Glied und schauten Karin erwartungsvoll an. Ulrich und seine Frau setzten sich auf die freien Stühle. »Gibt es ein Gesangbuch?« wollte Ulrich wissen, und als Karin den Kopf schüttelte: »Singst du uns vor und wir nach?« Marko lehnte sich neben Jörg an die Wand und verschränkte die Arme, Ilse und Christiane holten sich Stühle ins zweite Glied. Als letzte kamen Margarete und Henner und setzten sich ein bißchen abseits. Mit jedem, der kam, wurde Karins Herz schwerer.

Karin sang drei Strophen des Lieds von der güldnen Sonne, ihr Mann und Ilse kannten den Text und sangen mit, ein paar von den anderen summten die Melodie. Dann las sie den Vers vor. »Das ist das Motto der Universität Freiburg«, wußte Ulrich. – »Das ist das Motto des CIA«, ergänzte Marko spöttisch. – »Es ist das Motto jeden Lebens«, sagte Karin und redete vom Sehen und Begreifen. Wer wir sind – wenn wir es sähen und begriffen, hätten wir die Chance, darüber hinauszugehen. Wenn nicht, blieben wir darin hängen. Darum dürften wir anderen die Wahrheit aber nicht aufnötigen. Wir alle hätten, wo Wahrheiten zu schmerzlich und wir ihnen nicht gewachsen seien, unsere

Lebenslügen, und es gelte, im anderen die Wahrheit der Schmerzen zu sehen und zu respektieren, die seine Lebenslügen offenbarten. Allerdings offenbarten Lebenslügen nicht nur Schmerzen, sie schafften sie auch. Wie sie uns daran hinderten, uns selbst zu sehen, könnten sie uns auch daran hindern, den anderen zu sehen und uns von ihm sehen zu lassen. Ohne ein Ringen um die Wahrheit, die eigene und auch die des anderen, gehe es manchmal nicht.

»Also doch aufnötigen«, warf Andreas ein.

»Nein, ich rede von einem Ringen von gleich zu gleich, nicht von Macht und Zwang.«

Andreas gab nicht nach. »Was ist mit Eltern und Kindern, Männern und wirtschaftlich abhängigen Frauen, Frauen und verliebten Männern? Gleich zu gleich oder Macht und Zwang?«

Karin schüttelte den Kopf. »Du kriegst nur das eine oder das andere. Wenn du dem anderen nicht von gleich zu gleich begegnest, kriegst du vielleicht Macht, aber gewiß nicht Wahrheit.«

»Wenn das stimmt, kann man einem anderen die Wahrheit nicht aufnötigen. Warum hast du gesagt, wir dürfen es nicht, wenn wir's gar nicht können?«

Karin erklärte, sie habe sagen wollen, man könne dem anderen die Wahrheit nicht nur nicht aufzwingen, man solle es nicht einmal versuchen.

»Aber warum soll man es nicht können? In der Geschichte gab es immer wieder erfolgreichen Zwang – zu richtigen Wahrheiten wie zu falschen.«

Karin hatte sich verheddert. Geht die Auslegung des Verses nur auf, wenn die Wahrheit als die Wahrheit des Wortes

Gottes verstanden wird? Aber so hatte sie zu den Freunden nicht reden wollen. Konnte sie überhaupt noch so reden? Sie hatte den Vers immer als weltliche, analytische, therapeutische Weisheit für stimmig gehalten und gemocht. Sie wollte zum Schluß kommen und damit enden, daß auf erzwungenen Wahrheiten kein Segen liege. Aber Andreas erwähnte die deutsche Niederlage 1945 als Beispiel für gelungenen Zwang zur Wahrheit, und sie ließ es sein. Sie lächelte und sagte: »Ich weiß nicht mehr weiter. Ich mag den Vers, er macht mir Mut. Aber vielleicht verstehe ich ihn nicht. Vielleicht stimmt er auch nicht. Manche kehren ihn um, so daß nicht die Wahrheit frei, sondern die Freiheit wahr macht. Dann gibt es so viele Wahrheiten, wie Menschen ihre Leben frei leben – mich erschreckt der Gedanke, ich möchte, daß es eine Wahrheit gibt. Aber was zählt mein Wunsch! Und was war das für eine Andacht! Ich danke euch fürs Kommen und Zuhören und bete noch das Vaterunser.«

Danach organisierte Christiane die Vorbereitung des Frühstücks: Brötchen holen, Kaffee mahlen und brühen, Schinken auf die Platte und Käse aufs Brett legen, Eier kochen, Tisch decken. Ulrich fuhr zum Bäcker und nahm Jörg mit. Dorle und Ferdinand kümmerten sich gemeinsam um den Kaffee. Karin, ihr Mann und Ilse sangen beim Tischdecken Kirchenlieder. Andreas kochte die Eier und packte sie sorgsam in ein Bett aus Handtüchern. Margarete inspizierte mit Henner den Dachboden und den Keller. Alle waren froh, tätig zu sein und nicht reden zu müssen.

4

Aber wie sollten sie dem Reden entkommen? Nur die wunschlos Glücklichen entkommen ihm und die hoffnungslos Verzweifelten. Kaum saßen die Freunde um den Frühstückstisch, richtete Jörg sich auf seinem Stuhl auf und fing an.

»Ich weiß, wir haben geirrt und Fehler gemacht. Wir haben einen Kampf aufgenommen, den wir nicht zum Erfolg führen konnten, also hätten wir ihn nicht aufnehmen sollen. Wir hätten einen anderen Kampf aufnehmen sollen, aber nicht diesen. Kämpfen mußten wir. Unsere Eltern haben sich angepaßt und um den Widerstand gedrückt – wir durften das nicht wiederholen. Wir durften nicht einfach mit ansehen, wie in Vietnam Kinder durch Napalm verbrannten, in Afrika verhungerten, in Deutschland in Anstalten gebrochen wurden. Wie Benno erschossen, auf Rudi ein Attentat verübt und ein Journalist, der ihm ähnlich sah, beinahe gelyncht wurde. Wie der Staat seine Fratze der Macht, der Unterdrückung von Andersdenkenden, Unbequemen, Unbrauchbaren immer frecher zeigte. Wie unsere Genossen, ehe sie verurteilt wurden, ehe sie auch nur vor Gericht standen, isoliert, geprügelt, mundtot gemacht wurden. Ich weiß, daß wir Gewalt falsch eingesetzt haben. Aber Widerstand gegen ein System der Gewalt geht nicht ohne Gewalt.«

Jörg redete sich warm. Er hatte sich seine Rede so sorgfältig zurechtgelegt, daß er zunächst dozierend klang, aber er trug mit wachsender Sicherheit und Leidenschaft vor. Die meisten hörten betreten zu; Jörg redete, wie man vor dreißig Jahren geredet hatte und heute einfach nicht mehr redete, es war peinlich. Sein Sohn, für den die Rede vor allem bestimmt war, gab sich Mühe, gelangweilt und überlegen auszusehen, und sah Jörg nicht an, sondern auf die Wand oder aus dem Fenster. Marko war mit großen Augen bei der Sache; das war der Jörg, auf den er gewartet hatte.

»Wegen des Anschlags auf die amerikanische Kaserne bin ich gescholten worden, verurteilt natürlich auch, aber von solchen wie euch gescholten. Wir konnten die Bomben nicht da legen, wo die Amerikaner ihre Verbrechen begingen, sondern nur wo sie sie vorbereitet und sich von ihnen erholt haben. Wenn man keinen Anschlag auf die SS in Auschwitz machen konnte, hätte man ihn eben in Berlin machen müssen, wo sie die Judenvernichtung vorbereitet, oder im Allgäu, wo sie sich von ihr erholt hat. Und was den Präsidenten angeht – unsere Anwälte haben dafür gekämpft, daß wir als Kriegsgefangene angesehen und behandelt werden, und hatten damit keinen Erfolg, aber er verstand, er war mit uns im Krieg, hat sich als Kämpfer gesehen und uns auch.«

Karin fand die Richtung, die Jörgs Rede nahm, gefährlich. »Laß uns …«

»Ich will nur noch eines sagen. Ich weiß, daß ich geirrt und Fehler gemacht habe. Ich erwarte nicht, daß ihr billigt, was ich getan habe, oder auch nur meint, der Staat und die Gesellschaft hätten fairer mit uns umgehen sollen. Ich will nur den Respekt, den der verdient, der alles für eine große, gute Sache gegeben und für seine Irrtümer und Fehler bezahlt hat. Der sich nicht verkauft hat, um nichts gebeten hat und sich nichts hat schenken lassen. Ich habe nie einen Deal mit der anderen Seite gemacht, im Vollzug nie Vorteile beantragt, nie um Gnade gebeten. Ich habe nur die Anträge gestellt, die man halt stellt. Wir haben gestern darüber gesprochen – ich habe nicht mehr alles in Erinnerung, ich habe manches vergessen, aber ich habe für alles bezahlt.« Jörg sah in die Runde. »So, das war, was ich euch sagen wollte. Ich danke euch, daß ihr mir zugehört habt.«

»Wenn du das alles so siehst – wo hast du dann eigentlich, wie sagst du, geirrt und Fehler gemacht?« Sein Sohn fragte kalt und ruhig.

»Die Opfer. Ein Kampf, der nicht zum Erfolg führt, rechtfertigt keine Opfer.«

»Aber wenn ihr mit euren Aktionen die Revolution in Deutschland oder Europa oder die Weltrevolution losgetreten hättet, wären die Opfer gerechtfertigt?«

»Natürlich wären sie gerechtfertigt, wenn wir durch die Revolution eine bessere, gerechtere Welt geschaffen hätten.«

»Die Opfer von Unschuldigen?«

»Auch die schlechte, ungerechte Welt, in der wir leben, opfert Unschuldige.«

Der Sohn sah den Vater an, sagte aber nichts mehr. Er sah ihn an, als habe er ein Monster vor sich, mit dem es keine Gemeinschaft geben kann.

»Aber du kannst doch nicht meinen, daß das Opfer von Unschuldigen nie gerechtfertigt ist! Wenn man Hitler nur so hätte umbringen können, daß auch Unschuldige...«

»Das ist eine Ausnahme. Ihr habt die Ausnahme zur Regel gemacht.« Ferdinand wandte sich an Eberhard, der neben ihm saß. »Geben Sie mir bitte ein Brötchen?« Er schnitt das Brötchen auf und köpfte ein Ei.

Jörg schüttelte den Kopf, sagte aber nichts mehr. Eberhard gab die Brötchen weiter, Christiane reichte die Platte mit dem Schinken rund und Margarete das Brett mit dem Käse. Als Dorle aufstand, die eine Kaffeekanne nahm, von Platz zu Platz ging und einschenkte, nahm Ferdinand die andere und tat es ihr nach. Das Gespräch kam in Gang, über den Regen, den Aufbruch und die Heimfahrt, die Wahrheit, die frei, und die Freiheit, die wahr macht, den Wandel der Zeit. Eberhard fing davon an, und obwohl er es nicht sagte, wußten alle, daß er von Jörgs unzeitgemäßer Rede sprach. »Ohne daß sie widerlegt worden wären, sind Themen, Probleme, Thesen eines Tages einfach erledigt. Sie klingen falsch; wer sie vertritt, isoliert sich, wer sie mit Leidenschaft vertritt, macht sich lächerlich. Als ich zu studieren angefangen habe, zählte nur der Existentialismus, am Ende meines Studiums begeisterten sich alle für die analytische Philosophie, und vor zwanzig Jahren kamen Kant und Hegel wieder. Weder die Probleme des Existentialismus waren gelöst noch die der analytischen Philosophie. Man hatte sie einfach satt.«

Marko hatte aufmerksam zugehört. »Weil sie nicht gelöst sind, kommen sie wieder. Auch die RAF kommt wieder. Nicht so wie damals. Aber sie kommt wieder, und weil der Kapitalismus global geworden ist, wird sie ihn auch global bekämpfen – konsequenter als damals. Daß heute nicht mehr schick ist, von Unterdrückung, Entfremdung, Entrechtung zu reden, heißt doch nicht, daß sie verschwunden sind. In Asien wissen junge Muslime, wogegen sie kämpfen müssen, und in Europa wissen's die Jungens in den französischen Vorstädten, und auf dem ostdeutschen flachen Land wissen sie's zwar noch nicht, aber sie fühlen es. Es gärt. Wenn wir alle uns zusammentun...«

»Unsere Terroristen haben sich als Teil unserer Gesellschaft verstanden. Es war auch ihre Gesellschaft; sie wollten sie verändern und dachten, es gehe nur mit Gewalt. Die Muslime wollen unsere Gesellschaft nicht verändern, sondern zerstören. Ihre große Koalition der Terroristen können Sie vergessen.« Andreas fragte spöttisch: »Oder soll Ihre neue RAF den Gottesstaat bei uns herbeibomben?«

Henner war mit den Gedanken bei seiner Mutter. Manchmal terrorisierte sie ihn mit ihren Forderungen, ihren Vorwürfen, ihrem Jammern und Nörgeln, ihren zielsicheren verletzenden Bemerkungen. Sie spielte das Spiel nicht mehr mit, bei dem man zum anderen nett ist, damit er zu einem nett ist. Es lohnte sich für sie nicht mehr; warum sollte sie heute nett sein, damit der andere morgen nett ist, wenn sie morgen vielleicht schon tot ist? Ging es den richtigen Terroristen ähnlich? Hatten sie aufgehört, nach den Spielregeln zu spielen, weil sie nichts davon hatten, sich an sie zu halten? Weil sie, wenn arm, keine Chance des Erfolgs hatten und, wenn reich, das Spiel als verlogen, verkommen, leer erlebten? Er fragte Margarete.

»Frauen kennen das. Sie spielen nach den Spielregeln und bewirken nichts, weil das Spiel ein Männerspiel ist und sie Frauen sind. Manche sagen sich, daß sie den Spielregeln dann auch nicht verpflichtet sind. Andere hoffen, daß sie, wenn sie die Spielregeln besonders getreulich beachten, eines Tages doch noch gleichberechtigt mit den Männern spielen dürfen.«

»Und du?«

»Ich? Ich habe mir eine Ecke gesucht, wo ich alleine spielen kann. Aber ich verstehe die Frauen, die sich den Spielregeln nicht verpflichtet fühlen. Ich verstehe, daß unter den Terroristen so viele Frauen waren.«

»Könntest du...«

»Du meinst, wenn ich meine Ecke nicht hätte?« Sie lachte und nahm seine Hand. »Ich würde mir eine andere suchen!«

Sie drückte seine Hand und warf ihm einen Blick zu, mit dem sie seine Aufmerksamkeit auf Jörg lenkte. Er saß ihnen gegenüber. Nach seiner kleinen Rede hatte er nichts mehr gesagt, er hatte auch nichts gegessen oder getrunken, er hatte nur vor sich hin gestarrt. Er sah aus wie jemand, der getan hat, was zu tun war, der darauf vertraut, daß es seine Wirkung hat, auch wenn die Wirkung auf sich warten läßt, der mit sich im reinen ist, auch wenn er's schwer hat. Er sah nicht glücklich aus, aber zufrieden. Das paßte so wenig in die Runde wie seine Rede in die Zeit, und Margarete wurde erstmals von Mitleid erfaßt. Jörg war in seine Wahrnehmungen und Vorstellungen eingesperrt. Er trug seine Zelle mit sich, vermutlich schon lange, bevor er in eine Zelle gesteckt wurde, und sie konnte sich nicht vorstellen, wie er aus ihr herausfinden sollte. Sie schnitt ein Brötchen auf, belegte die eine Hälfte mit Schinken und die andere mit Käse und legte es ihm auf den Teller. »Iß was, Jörg!«

Sein Blick kehrte an den Tisch zurück und fand ihren. Er lächelte. »Danke.«

»Dein Kaffee ist kalt geworden. Ich hole dir frischen.«

»O nein. Kalter Kaffee macht schön, weißt du das nicht? Im Gefängnis war er oft kalt.«

»Du bist nicht mehr im Gefängnis. Und du bist schön genug.«

Er lächelte wieder, ganz entspannt, dankbar, zutraulich, als ob sie ihn zärtlich verwöhne. »Ja, dann vielen Dank.«

Margarete stand auf, nahm seine Tasse, leerte sie in der Küche in den Ausguß und wartete, während das Wasser heiß wurde und durch den Filter tropfte. Sie hörte das Gewirr der redenden, lachenden Stimmen am Frühstückstisch. Manchmal drang ein lautes Wort zu ihr herüber: Kleingarten, revolutionärer Purzelbaum, Zwetschgenkuchen, Presseerklärung, und sie fragte sich, wovon gerade die Rede sein mochte. Sie freute sich auf die Ruhe nach der Abreise der Gäste. Würde Henner mit den ersten oder mit den letzten aufbrechen oder bis zum Abend bleiben? Sie hatten nichts verabredet, kein Wiedersehen hier draußen, keines in Berlin. Eine Nacht lang hatten sie sich umarmt und Rücken an Rücken gelegen und dem Atem des anderen gelauscht. Sie hatten einander zugehört, aber fast nichts gefragt. Zwischen ihnen war so wenig und zugleich so viel passiert, daß Margarete sich alles vorstellen konnte. Sie war ganz ruhig.

5

Als sie Jörg den Kaffee hinstellte, war er mit den Gedanken woanders. »Zu viel Ehre«, sagte er abwehrend zu Ulrich.

Aber Ulrich insistierte, sie sollten Christianes batteriebetriebenes Radio holen und in fünf Minuten die Sendung mit der Rede des Bundespräsidenten hören. »Erinnert ihr euch nicht mehr, wie wir an Silvester immer ›Dinner for One‹ und dann die Rede des Bundespräsidenten gesehen haben? War jedesmal ein Mordsspaß.«

Auch Andreas stimmte zu. »Du wirst auf die Rede angesprochen werden. Da ist es besser, du kennst sie.«

Also wurde das Radio geholt und angestellt. Der Sprecher erläuterte, als der Bundespräsident zugesagt habe, in diesem Jahr die Berliner Domrede zu halten, habe er das Thema offengelassen. Er wolle über das sprechen, was die Menschen zur Zeit der Rede beschäftige. Nun wisse das Land seit einer Meldung der *Süddeutschen Zeitung* vom Morgen, daß der Bundespräsident am Freitag einen Terroristen begnadigt und daß der Terrorist mit einer Kriegserklärung geantwortet habe. Es sei bekannt, daß die Begnadigung von Terroristen den Bundespräsidenten in den letzten Monaten intensiv beschäftigt habe – es würde nicht wundernehmen, wenn sie auch der Gegenstand der Rede sei. Jedenfalls sei das Offenlassen des Themas ein glänzender Einfall des Bundespräsidenten oder seines Public-Relations-Beraters gewesen; die Spannung sei groß und der Dom voll.

Jörg sah Marko fassungslos an. »Du hast die Erklärung rausgegeben? Die du mir gestern gezeigt hast und die ich mir noch überlegen wollte?«

»Ja. Ich habe sie juristisch checken lassen, sie kann dir nicht schaden. Ob sie deiner Stimmung gemäß ist oder deinen ästhetischen Ansprüchen genügt oder deiner Schwester gefällt – darauf kann die Revolution keine Rücksicht nehmen. Also steh zu ihr. Die Alternative ist, daß du dich lächerlich machst.« Marko, halb im Ernst, halb im Scherz, hielt die geballte Faust hoch. »In der Erklärung steht doch nichts anderes als du heute morgen hier gesagt hast.«

Jörg nickte müde. Vielleicht, so sagte er sich, hatte Marko recht und war die Erklärung richtig und als Konsequenz dessen, was er am Morgen gesagt hatte, notwendig. Aber auch das Richtige und Notwendige kann einen überrollen. Überhaupt überrollte ihn alles, seit er aus dem Gefängnis war.

Der Sprecher blendete das Ende des Schlußchorals ein, auf den die Begrüßung des Bundespräsidenten durch den Bischof folgte. Dann redete der Bundespräsident.

Er sprach vom deutschen Terrorismus in den siebziger bis neunziger Jahren, von den Tätern und den Opfern, von der Herausforderung und der Bewährung des freiheitlichen Rechtsstaats, von der Verpflichtung auf die Achtung und den Schutz der Menschenwürde. Diese Verpflichtung lasse den Staat denen, die ihn und die Bürger und Bürgerinnen angreifen, stark begegnen. Sie mache ihn aber auch stark genug, bei der Verteidigung seiner Ordnung Maß zu halten und, wenn keine Gefahr mehr bestehe, den Kampf zu beenden. Das letzte Ziel sei immer Befriedung und Versöhnung. Noch drei Terroristen seien in den Gefängnissen eingesessen. Er habe alle drei begnadigt. Er habe ein Zeichen setzen wollen, daß der deutsche Terrorismus und die Spannungen und Risse in der Gesellschaft, mit denen er einherging, vorbei seien. Vor uns stünden neue Bedrohungen, auch terroristische, denen wir befriedet und versöhnt begegnen wollten.

»Ich habe mich mit jedem einzelnen beschäftigt und – die Medien haben darüber berichtet – auch getroffen. Alle drei haben mit ihrer Vergangenheit abgeschlossen. Mit einer Vergangenheit abschließen, wenn das Leben nur aus dieser Vergangenheit und aus Gefängnis besteht, ist nicht leicht, und es fällt auch den dreien nicht leicht. Gestern hat einer von ihnen eine Erklärung abgegeben, von der wir heute lesen. Ich sehe in ihr den Versuch, mit der Vergangenheit abzuschließen und sie zugleich doch noch in der eigenen Biographie aufzubewahren. Ich bedauere die Erklärung. Aber ich verstehe, daß einer, dem nicht mehr viel Zeit bleibt, seinem Leben einen neuen Sinn zu geben, diesen verzweifelten, widersprüchlichen Versuch macht, wie er schon zwischen der Bitte um Gnade und trotzigem Aufbegehren hin- und hergerissen war.«

Der Bundespräsident machte eine kurze Pause. Man konnte hören, daß im Publikum getuschelt, herumgerutscht, aufgestanden und gegangen wurde. Der Bundespräsident fuhr fort, wandte sich an die Angehörigen der Opfer, würdigte ihren Wunsch nach vollständiger Aufklärung und einem Zeichen der Reue oder Scham und bedauerte auch um ihretwillen noch mal Jörgs Erklärung. Er dankte der Gemeinde, daß er, was er zu sagen hatte, im Dom habe sagen können – es sei ein guter Ort dafür gewesen.

Der Sprecher teilte mit, man habe den Bundespräsidenten gehört, er habe die diesjährige Berliner Domrede gehalten, er habe die Begnadigung der letzten inhaftierten Terroristen mitgeteilt. Der Sprecher kündigte eine Talkshow über die Rede des Bundespräsidenten an und nannte die Zeit und die Teilnehmer: die Tochter eines Opfers, ein Terrorist, der sich vor langem gestellt hatte und vor langem entlassen worden war, ein Journalist, der den deutschen Terrorismus zum Thema seines Lebens gemacht hatte, die Justizministerin und die Gastgeberin. Dann gab der Sprecher an seinen Kollegen in Wimbledon ab.

6

Ulrich schaltete das Radio aus. Keiner sagte etwas. Jörg hatte während der Rede den Stuhl zurückgeschoben und die Beine zuerst übereinandergeschlagen, dann nebeneinandergestellt und die Ellbogen auf die Knie gestützt und den Kopf in die Hände gelegt. Jetzt mußte er sich bewegen, rückte den Stuhl an den Tisch, wollte sich Kaffee einschenken, schaffte es aber nicht. Seine Hand zitterte. Christiane stand auf, schenkte ihm ein und legte ihm die andere Hand auf die Schulter. »Ich hatte ihn doch gebeten, nicht davon zu reden, und hatte gedacht...« Jörg redete leise und als sei er den Tränen nahe.

Andreas sagte: »Du hast ihm mit deiner Erklärung keinen anderen Ausweg gelassen. Wie soll der Bundespräsident erklären, daß er einen Terroristen begnadigt, der als erstes dem Staat den Krieg erklären muß, wenn nicht so? Stimmt das, was er gesagt hat?«

»Natürlich nicht«, fiel Marko ein, »der Bundespräsident wollte Jörgs Erklärung nur kleinreden. Weil sie Angst vor Jörg haben, machen sie aus ihm eine hilflose, widersprüchliche Witzfigur. Aber die Genossen verstehen schon, was hier gespielt wird, und eigentlich hätte es nicht besser...«

»Hör mit deinem dummen Geschwätz auf. Stimmt es, Jörg?«

»Ich...«

»Hör du mit deinem blöden Verhör auf. Du bist nicht sein Freund, wie ich gedacht hatte, du bist nur sein Anwalt, und...«

»Laß nur, Christiane. Ja, mir bleibt nicht mehr viel Zeit. Ich habe Krebs, zu spät entdeckt, schlecht operiert und schlecht bestrahlt, oder es konnte so spät nichts mehr werden, und inzwischen habe ich Metastasen.«

»Warum weiß ich davon nichts?«

Jörg lachte verächtlich. »Prostatakrebs. Ich kriege ihn nicht mehr hoch, ich kann das Wasser nicht mehr halten – davon soll ich einer Frau erzählen? Ja, du bist meine Schwester, aber...« Er machte eine Grimasse und schüttelte den Kopf. »Alles klar, Dorle? Du hättest dir keinen falscheren aussuchen können. Ich wollte es dir nicht sagen – jetzt wissen es alle. Was wollt ihr noch wissen? Ob ich, wie hat er gesagt, ›zwischen der Bitte um Gnade und trotzigem Aufbegehren hin- und hergerissen‹ war? Ja, war ich. Ich wollte noch mal leben, ehe der Krebs mich zerfrißt, auch wenn mit meinem Leben nicht mehr viel los ist. Den Wald riechen und den nassen Staub, wenn's in der Stadt nach vielen heißen Tagen regnet, mit offenem Schiebedach und offenen Fenstern über die kleinen französischen Landstraßen fahren, ins Kino gehen, mit Freunden Pasta essen und Rotwein trinken.« Er lächelte die anderen resigniert an. »Ich hatte es mir nicht so schwierig vorgestellt. Und Marko hat mich zu dem Gedanken verführt, ich könnte noch mal eine Rolle spielen und es wäre nicht alles nichts, was ich gemacht habe, draußen und drinnen. Ich werfe dir nichts vor, Marko, du hast mir den Gedanken nicht in den Kopf gesetzt, ich habe ihn selbst gedacht. Beim Gnadengesuch habe ich noch Haltung gezeigt. Beim Gespräch mit dem Bundespräsidenten... Ich hatte gerade den Befund mit den Metastasen gekriegt, und er hat gesagt, es bleibt unter uns, und dann brach's eben aus mir raus. Es hätte mich vor fünfundzwanzig Jahren bei einer Schießerei erwischen sollen.«

Christiane stand immer noch neben ihm, die Hand auf seiner Schulter. »Damit das nicht passiert, habe ich dich damals verraten. Ich habe die Angst um dich nicht ausgehalten. Ich habe gedacht, ich habe dich nicht aufgezogen, damit du von der Polizei erschossen wirst. Und daß du eines Tages selbst froh bist, daß du noch lebst. Wenn du's jetzt nicht bist – es tut mir leid. Es tut mir alles leid, daß ich dich damals verraten habe und daß ich's wieder tun würde und daß du Krebs hast und nicht mehr leben willst und daß dieses Wochenende so schwierig geworden ist.« Sie weinte.

Karin wollte aufstehen, aber ihr Mann hielt sie fest. Es war still im Raum, draußen rauschte der Regen. Jörg sah hoch, die Tränen liefen seiner Schwester übers Gesicht und tropften vom Kinn auf den Boden. Sie zuckte mit den Schultern – alles war heillos, alles war ausweglos. Er legte den Kopf auf ihre Hand.

Als er ihn wieder hob, fragte er Ulrich: »Gilt dein Angebot noch? Kann ich in einem deiner Labors anfangen?«

»Wann du willst.«

»Wo hast du deine Labors?«

»Hamburg, Berlin, Köln, Karlsruhe, Heidelberg – erinnerst du dich an die Kneipe, in der wir als Studenten Doppelkopf gespielt haben, ehe du solche profanen Dinge aufgegeben hast? Ist heute auch eines von meinen Labors.«

»Seht ihr, auch, daß ich früher Doppelkopf gespielt habe, habe ich vergessen. Aber dahin zurückgehen, wo alles angefangen hat, gefällt mir. Ich kann nicht unter deine Flügel, Tia. Ich täte dir nicht gut und du mir nicht. Besuch und Urlaub, das ist etwas anderes. Aber in derselben Wohnung, morgens beim Frühstück am Küchentisch, abends auf dem Sofa vor dem Fernseher, meine Windeln im Badezimmer – das geht nicht.«

Christiane nickte. Sie war zu erleichtert, als daß sie hätte widersprechen mögen. Sie zog die Nase hoch, wischte sich die Tränen ab und fing an, Geschirr und Besteck zusammenzuräumen.

»Setz dich«, Margarete legte ihr die Hand auf den Arm, und Christiane setzte sich. »Der Keller ist voller Wasser, er muß ausgeschöpft werden, und ich wäre froh, wenn ihr mir helfen könntet. Die Feuerwehr hat mit Schulen und Krankenhäusern und Behörden alle Hände voll zu tun, wir kennen das schon. Ich denke, in einer Stunde hört der Regen auf – treffen wir uns dann?«

Der Himmel war so düster und der Regen so gleichmäßig wie am Morgen und am letzten Abend. Ulrich, der alles wissen wollte, wollte auch das wissen. »Klar helfen wir, aber wieso denkst du, daß der Regen aufhört?«

»Hört ihr die Vögel? Sie fangen an, wenn der Regen bald aufhört. Ich weiß nicht, warum, aber so ist es.«

Sie horchten nach draußen, und im Rauschen des Regens hörten sie das Singen und Zwitschern und Schwatzen der Vögel.

7

Als Geschirr und Besteck abgewaschen und aufgeräumt waren, ging Jörg auf die Suche nach seinem Sohn. Er fand ihn nicht im Haus, fragte Margarete, ob es im Garten einen regengeschützten Platz gebe, und sie wies ihm den Weg zum Gewächshaus. Kaputt sei es, abgerissen gehöre es, aber ein Stück Glasdach sei noch ganz, und darunter sitze sie manchmal im Regen auf einer umgestülpten Badewanne.

Margarete hatte recht, der Regen wurde schwächer. Aber den Weg, den sie ihm gewiesen hatte, hatte Jörg vergessen, kaum daß sie ausgeredet hatte. Er suchte drauflos und war naß, als er das Gewächshaus und seinen Sohn schließlich fand. Er setzte sich wortlos neben ihn und war fürs erste froh, daß sein Sohn nicht aufstand und ging. Ihn fror, und er hätte sich gerne mit den Armen wärmend auf Brust und Seiten geklopft. Aber er wollte nicht riskieren, seinen Sohn dadurch abzustoßen und zu vertreiben. Also saß er still und sah den Regen schwächer und schwächer werden. Dann sagte er: »Ich habe dir wirklich viele Briefe geschrieben.«

Ferdinand ließ sich Zeit. »Ich kann die Großeltern nach den Briefen fragen.« Er redete, als gehe es um eine Nichtigkeit.

Jörg brauchte wieder lange, bis er den nächsten Satz sagte. »Ich weiß, daß ich deiner Mutter und dir Leid zugefügt habe.« Er wartete auf eine Reaktion. Als keine kam, fuhr er fort. »Um Verzeihung bitten – es ist eine so kleine Bitte, nur ein paar Worte, und was geschehen ist, ist so schwer. Ich bringe das nicht zusammen. Daher traue ich mich nicht.«

Ferdinand sah seinen Vater kurz an. So schnell, wie er ihn prüfte, verurteilte er ihn. »Hast du schon wieder vergessen, was du gestern abend und heute morgen gesagt hast? Du hast keinen Grund, Mutter mehr zu bedauern als deine anderen Opfer. Mich erst recht nicht, immerhin lebe ich.«

Das war so wegwerfend gesagt, daß Jörg wieder Angst hatte, sein Sohn werde als nächstes aufstehen und gehen. Er suchte nach einer vorsichtigen Fortsetzung.

Aber sein Sohn war schneller. »Glaub nicht, daß ich Mitleid mit dir hätte, weil du Krebs hast und Windeln trägst. Es ist mir völlig gleichgültig.«

Ob sie sich wiedersehen könnten, hatte Jörg seinen Sohn fragen wollen. Aber er traute sich nicht. »Kann ich dir schreiben? Gibst du mir deine Adresse? Christiane hat nur die deiner Großeltern.«

Ferdinand fragte voller Abwehr zurück: »Was willst du von mir?«

Jörg hatte das Gefühl, von der Antwort auf diese Frage hänge alles weitere ab. Was sollte er sagen? Warum hatte er vorhin, als er von den Dingen des Lebens geredet hatte, nicht von seinem Sohn geredet? Er hatte nicht an ihn gedacht. Er hatte sich im Gefängnis angewöhnt, nicht an ihn zu denken. Er sagte: »Ich möchte wieder an dich denken können.«

»Wenn du im Gefängnis nicht die Zeit dazu gefunden

hast, wirst du sie in der Freiheit erst recht nicht finden.« Ferdinand stand auf und ging.

»Ich ...« Aber Jörg rief seinem Sohn nicht nach, es gehe nicht um Zeit. Ferdinand konnte das nicht wirklich meinen. Jörg sah ihm nach, fand ihn in seinen Bewegungen ähnlich sperrig, wie er sich selbst anfühlte, wenn er sich bewegte und beobachtet wußte oder selbst beobachtete. Auch die Abwehr, Schärfe, Schroffheit seines Sohns kannte er von sich selbst. Das machte ihm das Herz weich und schwer. Ja, dieser junge Mann war sein Sohn. Ja, er war ebenso gefährdet, wie er selbst gefährdet gewesen war. Sogar das Aufwachsen ohne Mutter hatte er an ihn weitergegeben.

Der Regen hatte aufgehört. Jörg sah auf die Uhr, er hatte vor dem Einsatz im Keller noch Zeit, seine Sachen zu pakken. Einer würde ihn nach Berlin mitnehmen, dort würde er sich in den Zug setzen, morgen ein Zimmer finden und am Dienstag im Labor anfangen. Vielleicht würde er sogar die Arbeit mögen, aber jedenfalls die Menschen, die ihn in Ruhe lassen und akzeptieren würden, wenn er gute Arbeit leistete.

Auf dem Rückweg zum Haus begegnete er Margarete und Henner. »Siehst du«, sagte sie, guckte zum Himmel und breitete die Arme aus. – »Ich sehe«, lachte er, »ich sehe.«

»Er hat tatsächlich gelacht«, sagte Margarete im Weitergehen zu Henner.

»Ich denke, wenn man Terrorist wird und Leute umbringt, muß man schon ein ziemlich taffer Typ sein.«

»Bist du ein taffer Typ?«

»Wenn man Journalist wird und berichtet, wie Leute einander umbringen, muß man... Ich weiß es nicht, Margarete.

Ich weiß auch nicht, ob ich Journalist bleiben soll. Ich weiß nicht, wie es mit meiner Mutter gehen soll. Ich weiß nicht, wie es mit den Frauen gehen soll. Ich weiß nicht viel heute morgen.«

»Die Bank ist naß – ich hätt's mir denken und einen Lappen mitnehmen können.«

Henner setzte sich. »Komm auf meinen Schoß!«

Margarete wurde rot. »Du bist verrückt.«

»Nein«, sagte er und lachte sie fröhlich an, »ich bin nicht verrückt. Ich will dich auf meinem Schoß haben.«

»Aber die Bank...«

Er schlug mit den Händen auffordernd auf seine Beine. Sie setzte sich vorsichtig. »Siehst du«, sagte er und legte die Arme um sie. Wieder war ihm, als halte er einen Baum oder einen Fels und als könne ihn endlich nichts mehr davonwehen. Ihre Schwere hielt ihn fest, wurzelte ihn ein. Als Margarete ihre Vorsicht aufgab, in seinen Armen weich wurde, sich an ihn schmiegte und ihr Gesicht in die Kuhle seines Halses legte, fragte sie: »Kannst du noch? Bin ich zu schwer?« Er schüttelte den Kopf.

Sie schlief in seinen Armen ein und wachte in seinen Armen auf. »Müssen wir los?«

»Du hast nur ein paar Minuten geschlafen, wir haben noch ein bißchen Zeit. Würdest du... meinst du, du könntest...« Jetzt wurde Henner rot.

»Was?«

»Nimmst du mich für einen Augenblick auf deinen Schoß?«

Sie lachte und stand auf. »Komm!« Sie setzte sich und zog ihn auf ihren Schoß. Er konnte sich nicht so einschmiegen, wie er es gerne getan hätte. War er zu groß für sie? War er zu schwer für sie? Verachtete sie sein kindliches Bedürfnis, auf den Schoß genommen zu werden? Er seufzte.

Sie flüsterte ihm ins Ohr: »Es ist alles in Ordnung.«

Er ließ sich gehen, groß, aber nicht zu groß, schwer, aber nicht zu schwer, und sein Bedürfnis, auf den Schoß genommen zu werden, war ihr das natürlichste Bedürfnis der Welt. Es war wirklich alles in Ordnung.

»Wieviel Zeit haben wir noch?«

»Keine. Sehen wir uns wieder?«

»Ja.«

»Gut.« Henner sprang auf, reichte Margarete die Hand und zog sie hoch.

8

Alle stellten sich ein. Die beiden Ehepaare kamen zusammen; sie hatten sich an den Autos getroffen, als sie ihre Sachen einluden. Ob man sich einmal wiedersehe, in Salzburg oder in Bayreuth? Andreas und Marko standen und stritten, bis Jörg dazukam und sagte, er wolle keine Klage wegen der eigenmächtig herausgegebenen Presseerklärung. Es sei passiert, es sei vorbei. Ilse fragte Christiane, ob sie sich in ihren nächsten Ferien zum Schreiben einmieten könne. Dorle stand neben Ferdinand, sagte ihm etwas ins Ohr, streichelte seinen Arm, seinen Rücken, strich ihm über die Wange, und er mochte das, und zugleich war's ihm peinlich, weil er sich vor seinem Vater unerbittlich zeigen wollte. Alle waren reisefertig.

Margarete schaute vom einen zum anderen. »Das Wasser ist wadentief. Ihr solltet jedenfalls Schuhe und Strümpfe ausziehen und die Hosen bis übers Knie hochkrempeln. Es ist schmutzig und wird spritzen – habt ihr nichts Schlechteres zum Anziehen? Dorle? Dein T-Shirt ist nachher nicht mehr rosa.«

Aber alle ließen es bei nackten Füßen und hochgezogenen Hosen bewenden. Sie steckten die Socken in die Schuhe und stellten die Schuhe nebeneinander – aufgereiht wie die Taxen vor der Oper. Margarete ordnete die Freunde in eine

Reihe vom Keller über die Treppe zum Garten und zurück zum Kellerfenster. »Alle zehn Minuten rücken wir weiter, damit's uns nicht langweilig wird. Ich habe nur sieben Eimer; wir haben also immer einen Moment zum Verschnaufen.«

Marko schöpfte den ersten Eimer und gab ihn an Andreas am Fuß der Treppe. Über Ilse, Jörg und Ingeborg wanderte der Eimer die Treppe hoch, wurde von Ferdinand an Margarete, von ihr an Ulrich und von ihm an Karin weitergereicht, die ihn auf die Wiese neben Margaretes Gartenhaus schüttete und an Henner gab, der ihn Dorle zuwarf, von der Christiane ihn bekam und durch das Kellerfenster zu Eberhard fallen ließ, der ihn an Marko gab.

Marko gab Andreas die Eimer mit so viel Schwung, daß immer ein bißchen Wasser überschwappte und Andreas anspritzte. Jörg meinte es gut, beugte sich zu Ilse tiefer hinab und zu Ingeborg höher hinauf als nötig und war bald schweißnaß. Ferdinand, Margarete und Ulrich standen in der Sonne, die durch die Wolken gebrochen war, waren vergnügt und scherzten mit Henner, Dorle und Christiane, Volleimervollblütler gegen Leereimerweicheier, Helden der Arbeit gegen Trittbrettfahrer, Wasserträger gegen Wasserwerfer, nein, Eimerwerfer. Karin schüttete den Eimer mit ausholender, segnender Gebärde aus. Beim ersten Weiterrücken stieß Andreas mit Marko so zusammen, daß Marko ins Wasser fiel. Als nach dem zwölften Weiterrücken Marko unters Kellerfenster und Andreas ans Schöpfen kam, versuchte Marko das gleiche mit Andreas. Aber der sah sich vor. Dann war der Wasserpegel ohnehin gesunken, der Eimer war nicht mehr vollzukriegen, und Margarete machte die Reihe kürzer und schickte Christiane und Eberhard mit Besen nach unten, damit sie das Wasser vom hinteren zum vorderen Teil des Kellers kehrten.

Alle waren mit ihrem Eimer oder Besen beschäftigt, ihren nassen Füßen und feuchten Sachen, ihrem Nachbarn oder Gegenüber, mit sich selbst. Nur Ilse sah sich die anderen an: Marko und Andreas im Clinch, Dorle und Ferdinand zögernd, ob sie sich ineinander verlieben sollten, und Margarete und Henner dazu bereit, die beiden Ehepaare in der Selbstverständlichkeit des Zusammengehörens geborgen, Christiane erleichtert, daß die Bomben entschärft oder ohne großen Schaden explodiert waren, Jörg glücklich, daß er gerade nichts meistern mußte außer Eimer und Wasser. Ilse sah sich die einzelnen an und war vom Ganzen fasziniert, vom Schauspiel der Zusammenarbeit, von der Koordination der Körper und Hände, vom Aufgehen der einzelnen mit ihren Zu- und Abneigungen in einer gemeinsamen Aufgabe. Würde sie Jan so etwas erleben lassen? War die gemeinsame Planung und Durchführung von Anschlägen von ähnlicher Qualität? Oder ging es bei Anschlägen um die Koordination selbständiger, unabhängig voneinander erbrachter Leistungen?

Mit derselben Leichtigkeit, mit der die Freunde sich zum Ganzen fügten, würden sie auch wieder auseinanderfallen. Nichts, so dachte sie melancholisch, würde vom Ganzen bleiben. Dann lachte sie. Der Keller! Der Keller war trokken.

Zum letzten Mal saßen sie auf der Terrasse um den Tisch. Erschöpft, fröhlich, nur noch halb da und zur anderen Hälfte schon auf der Reise oder gar zu Hause. Ulrich fiel ein, er könne ein Blatt rumgeben, auf das jeder Telephonnummer und E-Mail-Adresse schreibt, und die Liste an alle weiterleiten. Aber er ließ es. Karin sprach keinen Reisesegen, Christiane keinen Abschied der Gastgeberin, und Jörg bedankte sich nicht für das Willkommen in der Freiheit. Sie tranken Wasser und redeten nicht viel. Sie sahen in den Park. Ein kräftiger Wind hatte die Wolken weggeblasen, der Himmel strahlte blau, und Bäume, Sträucher und Haus blitzten regenfrisch. Dann brachen alle gleichzeitig auf, Karin und ihr Mann nahmen Ilse und Jörg nach Berlin mit. Ferdinand ließ sich lieber von Marko mitnehmen. Aber er gab Christiane einen Zettel mit seiner Adresse und Telephonnummer; wenn sie wolle, könne sie's auch seinem Vater geben. Christiane und Margarete standen vor dem Tor und winkten, bis sie die Autos nicht mehr sehen konnten.

Bernhard Schlink im Diogenes Verlag

Selbs Justiz

Zusammen mit Walter Popp

Roman

Privatdetektiv Gerhard Selb, 68, wird von einem Chemiekonzern beauftragt, einem ›Hacker‹ das Handwerk zu legen, der das werkseigene Computersystem durcheinanderbringt. Bei der Lösung des Falles wird er mit seiner eigenen Vergangenheit als junger, schneidiger Nazi-Staatsanwalt konfrontiert und findet für die Ahndung zweier Morde, deren argloses Werkzeug er war, eine eigenwillige Lösung.

»Bernhard Schlink und Walter Popp haben mit Gerhard Selb eine, auch in ihren Widersprüchen, glaubwürdige Figur geschaffen, aus deren Blickwinkel ein gesellschaftskritischer Krimi erzählt wird. Und das so meisterlich, daß sich das Ergebnis an internationalen Standards messen läßt.«
Jürgen Kehrer / Stadtblatt, Münster

1992 verfilmt von Nico Hofmann unter dem Titel *Der Tod kam als Freund*, mit Martin Benrath und Hannelore Elsner in den Hauptrollen.

Die gordische Schleife

Roman

Georg Polger hat seine Anwaltskanzlei in Karlsruhe mit dem Leben als freier Übersetzer in Südfrankreich vertauscht und schlägt sich mehr schlecht als recht durch. Bis zu dem Tag, als er durch merkwürdige Zufälle Inhaber eines Übersetzungsbüros wird – Spezialgebiet: Konstruktionspläne für Kampfhubschrauber. Polger gerät in einen Strudel von Ereignissen, die ihn Freund und Feind nicht mehr voneinander unterscheiden lassen.

Anläßlich der Criminale 1989 in Berlin mit dem Glauser, Autorenpreis für deutschsprachige Kriminalliteratur, ausgezeichnet.

Selbs Betrug

Roman

Privatdetektiv Gerhard Selb sucht im Auftrag eines Vaters nach der Tochter, die von ihren Eltern nichts mehr wissen will. Er findet sie, aber der, der nach ihr suchen läßt, ist nicht ihr Vater, und es sind nicht ihre Eltern, vor denen sie davonläuft.

Selbs Betrug wurde von der Jury des Bochumer Krimi Archivs mit dem Deutschen Krimi Preis 1993 ausgezeichnet.

»Es gibt wenige deutsche Krimiautoren, die so raffinierte und sarkastische Plots schreiben wie Schlink und ein so präzises, unangestrengt pointenreiches Deutsch.« *Wilhelm Roth / Frankfurter Rundschau*

»Gerhard Selb hat alle Anlagen, den großen englischen, amerikanischen und französischen Detektiven, von Philip Marlowe bis zu Maigret, Paroli zu bieten – auf seine ganz spezielle, deutsche, Selbsche Art.«
Wochenpresse, Wien

Der Vorleser

Roman

Eine Überraschung des Autors Bernhard Schlink: Kein Kriminalroman, aber die fast kriminalistische Erforschung einer rätselhaften Liebe und bedrängenden Schuld.

»Ein Höhepunkt im deutschen Bücherherbst. Eine aufregende Fallgeschichte, so gezügelt wie Genuß gewährend erzählt. Das sollte man sich nicht entgehen

lassen, weil es in der deutschen Literatur unserer Tage hohen Seltenheitswert besitzt.«
Tilman Krause / Tagesspiegel, Berlin

»Nach drei spannenden Kriminalromanen ist dies Schlinks persönlichstes Buch.« *Michael Stolleis / FAZ*

»Die Überraschung des Herbstes. Ein bezwingendes Buch, weil eine Liebesgeschichte so erzählt wird, daß sie zur Geschichte der Geschichtswerdung des Dritten Reiches in der späten Bundesrepublik wird.«
Mechthild Küpper / Wochenpost, Berlin

Auch als Diogenes Hörbuch erschienen,
gelesen von Hans Korte

Liebesfluchten

Geschichten

Anziehungs- und Fluchtformen der Liebe in sieben Geschichten: als unterdrückte Sehnsüchte und unerwünschte Verwirrungen, als verzweifelte Seitensprünge und kühne Ausbrüche, als unumkehrbare Macht der Gewohnheit, als Schuld und Selbstverleugnung.

»Wieder schafft es Schlink, die Figuren lebendig werden zu lassen, ohne alles über sie zu verraten – selbst wenn ihn gelegentlich sein klarer, kluger Ton zu dem einen oder anderen Kommentar verführt. Er ist ein genuiner Erzähler.«
Volker Hage / Der Spiegel, Hamburg

»Schlink seziert seine Figuren regelrecht, er analysiert ihr Handeln. Er wertet nicht, er beschreibt. Darin liegt die moralische Qualität seines Erzählens. Schlink gelingt es wieder, wie schon beim *Vorleser*, genau die Wirkung zu erzielen, die wesentlich zu seinem Erfolg beigetragen hat. Er erzeugt den Eindruck von Authentizität.« *Martin Lüdke / Die Zeit, Hamburg*

Die Geschichte *Der Seitensprung* ist
auch als Diogenes Hörbuch erschienen,
gelesen von Charles Brauer

Selbs Mord

Roman

Ein Auftrag, der den Auftraggeber eigentlich nicht interessieren kann. Der auch Selb im Grunde nicht interessiert und in den er sich doch immer tiefer verstrickt. Merkwürdige Dinge ereignen sich in einer alteingesessenen Schwetzinger Privatbank. Die Spur des Geldes führt Selb in den Osten, nach Cottbus, in die Niederlagen der Nachwendezeit. Ein Kriminalroman über ein Kapitel aus der jüngsten deutsch-deutschen Vergangenheit.

»Schlink ist der brillante Erzähler, der mit der Klarheit und Nüchternheit eines Ermittlungsrichters die Geschichte auf ihr Ende zusteuert. Dieses Ende ist konsequent und immer überraschend.«
Rainer Schmitz / Focus, München

Vergewisserungen

Über Politik, Recht, Schreiben
und Glauben

Wer an der Entwicklung der Gesellschaft manchmal verzweifeln möchte, dem sei dieses Buch empfohlen: Kompetent und in klarer, schöner Prosa zeigt es, was alles nicht zwangsläufig und unaufhaltsam ist und daß es Werte und Hoffnungen gibt, auf die zu setzen lohnt.

»Das wirklich Meisterhafte an Schlinks ruhig dahinfließender Prosa ist ihre Intelligenz. Es ist, ganz im Sinne seiner amerikanischen Vorbilder, eine Intelligenz des *common sense*. Sie liegt im Vermögen, Fragestellungen und Problemzusammenhänge anschaulich werden zu lassen.«
Tilman Krause / Die Welt, Berlin

»Schlinks Essays sind verständlich, durchsichtig und intelligent, keine abstrakten juristischen Erkenntnisse, sondern lebendige Literatur eines präzisen Erzählers.« *Janko Ferk / Die Furche, Wien*

Die Heimkehr

Roman

Das Fragment eines Heftchenromans über die Heimkehr eines deutschen Soldaten aus Sibirien. Als Peter Debauer darin Details aus seiner eigenen Welt entdeckt, macht er sich auf die Suche. Die Suche nach dem Ende der Geschichte und nach deren Autor wird zur Irrfahrt durch die deutsche Vergangenheit, aber auch durch Peter Debauers eigene Geheimnisse.

»Bernhard Schlink schreibt eine klare, präzise, schöne Prosa, die in der deutschen Gegenwartsliteratur ihresgleichen sucht.« *Christopher Ecker / Berliner Zeitung*

Auch als Diogenes Hörbuch erschienen,
gelesen von Hans Korte

Vergangenheitsschuld
Beiträge zu einem deutschen Thema

Die Beiträge behandeln die Kollektivschuld der Kriegs- und der Nachkriegsgeneration, deren Auseinandersetzung mit dem Nationalsozialismus und seinen Folgen, die Leistung des Rechts bei der Bewältigung von schuldbelasteter Vergangenheit und die Möglichkeit von Vergebung und Versöhnung. Sie sind in den letzten zwei Jahrzehnten aus der Beschäftigung mit den Erfahrungen und Verstrickungen der eigenen Generation und aus der Begegnung mit Freunden, Kollegen und Studenten aus den neuen Bundesländern entstanden, wo der Autor im Jahr der Wende an der Humboldt-Universität Berlin zu unterrichten begann.

Hans Werner Kettenbach im Diogenes Verlag

»Schon lange hat niemand mehr – zumindest in der deutschen Literatur – so erbarmungslos und so unterhaltsam zugleich den Zustand unserer Welt beschrieben.« *Die Zeit, Hamburg*

»Hans Werner Kettenbach erzählt in einer eigenartigen Mischung von Zartheit, Humor und Melancholie, aber immer auf erregende Art glaubwürdig.«
Neue Zürcher Zeitung

»Dieses Nie-zuviel-an-Wörtern, diese unglaubliche Leichtigkeit und Selbstverständlichkeit... ja, das ist in der zeitgenössischen Literatur einzigartig!«
Visa Magazin, Wien

»Ein beweglicher ›Weiterschreiber‹ nicht nur der Nachkriegsgeschichte, sondern der Geschichte der Bundesrepublik ist Hans Werner Kettenbach. Seine Romane aus dem bundesrepublikanischen Tiergarten sind viel unterhaltsamer und spitzer als alle Weiterschreibungen Bölls.« *Kommune, Frankfurt*

Minnie oder Ein Fall von Geringfügigkeit
Roman

Hinter dem Horizont
Eine New Yorker Liebesgeschichte

Sterbetage
Roman

Schmatz oder Die Sackgasse
Roman

Davids Rache
Roman

Die Schatzgräber
Roman

Grand mit vieren
Roman

Glatteis
Roman

Die Konkurrentin
Roman

Kleinstadtaffäre
Roman

Zu Gast bei Dr. Buzzard
Roman

Hartmut Lange
im Diogenes Verlag

Hartmut Lange, 1937 in Berlin-Spandau geboren, studierte an der Filmhochschule Babelsberg Dramaturgie. Er lebt in Berlin und schreibt Dramen, Essays und Prosa. 1998 wurde er mit dem Literaturpreis der Konrad-Adenauer-Stiftung ausgezeichnet.

»Hartmut Lange hat einen festen Platz in der deutschen Literatur der Gegenwart. Dieser Platz ist nicht bei den Lauten, den Grellen, den Geschwätzigen, sondern bei den Nachdenklichen, bei denen, die Themen und Mittel sorgfältig wählen.« *Kieler Nachrichten*

»Die mürbe Eleganz seines Stils sucht in der zeitgenössischen Literatur ihresgleichen.«
Frankfurter Allgemeine Zeitung

Die Waldsteinsonate
Fünf Novellen

Die Selbstverbrennung
Roman

Das Konzert
Novelle

Tagebuch eines Melancholikers
Aufzeichnungen der Monate Dezember 1981 bis November 1982

Die Ermüdung
Novelle

Vom Werden der Vernunft
und andere Stücke fürs Theater

Die Stechpalme
Novelle

Schnitzlers Würgeengel
Vier Novellen

Der Herr im Café
Drei Erzählungen

Eine andere Form des Glücks
Novelle

Die Bildungsreise
Novelle

Das Streichquartett
Novelle

Irrtum als Erkenntnis
Meine Realitätserfahrung als Schriftsteller

Gesammelte Novellen
in zwei Bänden

Leptis Magna
Zwei Novellen

Der Wanderer
Novelle

Der Therapeut
Drei Novellen

Jakob Arjouni im Diogenes Verlag

»Ein großer, phantastischer Schriftsteller, der genau und planvoll und lesbar schreibt.«
Maxim Biller / Tempo, Hamburg

»Seine Virtuosität, sein Humor, sein Gespür für Spannung sind ein Lichtblick in der Literatur jenseits des Rheins, die seit langem in den eisigen Sphären von Peter Handke gefangen ist.« *Actuel, Paris*

»Seine Texte haben Qualität. Sie sind ambitioniert, unaufdringlich-provokativ, höchst politisch.«
Barbara Müller-Vahl / General-Anzeiger, Bonn

»Arjouni weiß als Dramatiker genauso wie als Krimiautor, wie er Spannung erzielt, ohne platt zu wirken.«
Christian Peiseler / Rheinische Post, Düsseldorf

Happy birthday, Türke!
Ein Kayankaya-Roman
Auch als Diogenes Hörbuch erschienen, gelesen von Rufus Beck

Mehr Bier
Ein Kayankaya-Roman

Ein Mann, ein Mord
Ein Kayankaya-Roman
Auch als Diogenes Hörbuch erschienen, gelesen von Rufus Beck

Magic Hoffmann
Roman

Ein Freund
Geschichten
Daraus vier Geschichten auch als Diogenes Hörbuch erschienen: *Schwarze Serie*, gelesen von Gerd Wameling

Kismet
Ein Kayankaya-Roman

Idioten. Fünf Märchen

Hausaufgaben
Roman

Chez Max
Roman
Auch als Diogenes Hörbuch erschienen, gelesen von Jakob Arjouni

Rolf Dobelli
im Diogenes Verlag

Rolf Dobelli, geboren 1966 in Luzern, studierte an der Universität St. Gallen Betriebswirtschaft und wurde dort promoviert. Er war mehrere Jahre lang Finanzchef und CEO verschiedener Tochterfirmen des Swissair-Konzerns und lebte in Australien, Hongkong, England und in den USA. 1998 gründete er zusammen mit Freunden eine eigene Firma, getAbstract, den mittlerweile größten Anbieter von Buchzusammenfassungen weltweit. Rolf Dobelli wohnt und arbeitet in Miami und Luzern.

»Dobelli hat das Lebensgefühl einer Generation in Literatur verwandelt.«
Isabell Teuwsen / Schweizer Illustrierte, Zürich

»Daß er gelernt hat, auf den Punkt genau zu formulieren, merkt man Dobellis Romanen an – dichter kann ein Text kaum sein.«
Brigitte Schmitz-Kunkel / Kölner Rundschau

»Rolf Dobelli ist der Spezialist für exakte Analysen biographischer Brüche.«
Christiane Florin / Rheinischer Merkur, Bonn

Fünfunddreißig
Eine Midlife-Story

Und was machen Sie beruflich?
Roman

Himmelreich
Roman

Wer bin ich?
777 indiskrete Fragen

Turbulenzen
777 bodenlose Gedanken

Sibylle Mulot im Diogenes Verlag

»Willkommen! Eine deutsche Autorin, die über Scherz, Satire, Ironie und Selbstironie verfügt: Qualitäten, die nahezu angelsächsisch anmuten.«
Kyra Stromberg / Süddeutsche Zeitung, München

»Nicht selten hört man die Klage, daß die deutsche Gegenwartsliteratur besonders arm sei an gut geschriebenen und unterhaltsamen Büchern, die gedanklich gleichwohl nicht ›unter Niveau‹ gehen. Wenn dem so sein sollte, dann wäre dies ein Grund mehr, auf Sibylle Mulot aufmerksam zu machen.«
Helmuth Kiesel / Frankfurter Allgemeine Zeitung

»Die Autorin erzählt in einer Sprache, die glänzt und glitzert wie das Meer zur Hochsommerzeit.«
Nicole Hess / Tages-Anzeiger, Zürich

»Mulots Prosa wird von Buch zu Buch immer knapper, dichter und geschliffener.«
Martin Ebel / Neue Zürcher Zeitung

Liebeserklärungen
Roman

Das Horoskop
Erzählung

Die unschuldigen Jahre
Roman

Das ganze Glück
Eine Liebesgeschichte
Mit einem Hafis-Orakel im Anhang

Die Fabrikanten
Roman einer Familie

Die Unwiderstehlichen

Urs Widmer im Diogenes Verlag

»Wer kann heute noch glitzernde, glücksüberstrahlte Idyllen erzählen? Wer eine Geschichte über den Golfkrieg und die A-Bombe? Wer ein Märchen für Erwachsene von – sagen wir: fünfzehn an? Und wer eine Liebesgeschichte über Lebende und Tote, die uns traurigfroh ans Herz geht? Die Antwort: Urs Widmer. Er kann all dies aufs Mal und all das ist, eine Rarität in der deutschen Literatur, tiefsinnig und extrem unterhaltend zugleich.«
Andreas Isenschmid / Die Zeit, Hamburg

Vom Fenster meines Hauses aus
Prosa

Schweizer Geschichten

Liebesnacht
Eine Erzählung

Die gestohlene Schöpfung
Ein Märchen

Der Kongreß der Paläolepidopterologen
Roman

Das Paradies des Vergessens
Erzählung

Der blaue Siphon
Erzählung

Liebesbrief für Mary
Erzählung

Die sechste Puppe im Bauch der fünften Puppe im Bauch der vierten
und andere Überlegungen zur Literatur. Grazer Vorlesungen 1991

Im Kongo
Roman

Vor uns die Sintflut
Geschichten

Der Geliebte der Mutter
Roman

Das Geld, die Arbeit, die Angst, das Glück.

Das Buch des Vaters
Roman

Ein Leben als Zwerg

Vom Leben, vom Tod und vom Übrigen auch dies und das
Frankfurter Poetikvorlesungen

Außerdem erschienen:

Shakespeares Königsdramen
Nacherzählt und mit einem Vorwort von Urs Widmer. Mit Zeichnungen von Paul Flora

Erich Hackl
im Diogenes Verlag

»Seine Fähigkeit, aus den zur Meldung geschrumpften Fakten wieder die Wirklichkeit der Ereignisse zu entwickeln, die Präzision und zurückgehaltene Kraft der Sprache lassen an Kleist denken.«
Süddeutsche Zeitung, München

»Mit seinem nüchternen Stil tritt Hackl an die Stelle des Chronisten: er ermittelt, rekonstruiert, beschreibt. Auf ihn trifft García Márquez' Postulat zu, wonach ein Schriftsteller politisch Stellung beziehen, vor allem aber gut schreiben muß.« *Siempre!, Mexiko-Stadt*

»Er zählt zur aussterbenden Population der Autoren mit Gesinnung. Und doch drängen seine poetisch-stillen und gleichzeitig politisch hochbrisanten Bücher stets zur Spitze der heimischen Bestsellerliste.«
Dagmar Kaindl / News, Wien

»Berichte aus einer nicht abgeschlossenen Vergangenheit: große zeitgenössische Literatur der Ernsthaftigkeit.« *Christian Seiler / profil, Wien*

Auroras Anlaß
Erzählung

Abschied von Sidonie
Erzählung

Materialien zu Abschied von Sidonie
Herausgegeben von Ursula Baumhauer

König Wamba
Ein Märchen. Mit Zeichnungen von Paul Flora

Sara und Simón
Eine endlose Geschichte

In fester Umarmung
Geschichten und Berichte

Entwurf einer Liebe auf den ersten Blick
Erzählung

Die Hochzeit von Auschwitz
Eine Begebenheit

Anprobieren eines Vaters
Geschichten und Erwägungen

Als ob ein Engel
Erzählung nach dem Leben

Leon de Winter im Diogenes Verlag

Leon de Winter wurde 1954 in 's-Hertogenbosch als Sohn niederländischer Juden geboren und begann als Teenager, nach dem Tod seines Vaters, zu schreiben. Er arbeitet seit 1976 als freier Schriftsteller und Filmemacher in Holland und den USA. Seine Romane erzielen nicht nur in den Niederlanden überwältigende Erfolge; einige wurden für Kino und Fernsehen verfilmt, so 2000 *Der Himmel von Hollywood* (Regie: Sönke Wortmann) und 2003 *SuperTex* unter der Regie von Jan Schütte.

»Leon de Winter ist ein wunderbar phantasievoller Erzähler. Er liebt seine Figuren, hat ein herrliches Gespür für deren Entwicklungen und Abgründe und erzählt immer leicht und lakonisch.«
Joachim Knuth / Norddeutscher Rundfunk, Hamburg

»Leon de Winter, mittlerweile zum Kultautor avanciert, ist ein gewiefter Erzähler, der dem Leser die Tür nur einen Spaltbreit öffnet und in ihm eine unstillbare Neugierde auf das weitere Geschehen erweckt.«
Hans Christian Kosler

Hoffmans Hunger
Roman. Aus dem Niederländischen von Sibylle Mulot

SuperTex
Roman. Deutsch von Sibylle Mulot

Serenade
Roman. Deutsch von Hanni Ehlers

Zionoco
Roman. Deutsch von Hanni Ehlers

Der Himmel von Hollywood
Roman. Deutsch von Hanni Ehlers

Sokolows Universum
Roman. Deutsch von Sibylle Mulot

Leo Kaplan
Roman. Deutsch von Hanni Ehlers

Malibu
Roman. Deutsch von Hanni Ehlers

Place de la Bastille
Roman. Deutsch von Hanni Ehlers

Petros Markaris im Diogenes Verlag

»Es gibt jetzt das Marseille von Jean-Claude Izzo, es gibt meinen Commissario Montalbano, und es gibt das Griechenland von Petros Markaris. Der Kriminalroman ist damit einen großen Schritt vorangekommen.« *Andrea Camilleri*

»Markaris zeichnet ein überaus lebendiges Bild von der Athener Gegenwart. Mit Witz, Charme und Ironie erzählt er eine reizvolle, geschickt verwobene Kriminalgeschichte mit überaus lebensnahen Figuren. Eine glatte Zuordnung nach Gut und Böse geht nicht auf, Täter wie Opfer werden gleichermaßen als gebrochene und zumeist rätselhafte Gestalten präsentiert.«
Christina Zink / Frankfurter Allgemeine Zeitung

»Kommissar Charitos hat längst Kultstatus. Spannung, Humor und Sozialkritik verbindet Markaris zum Gesamtkunstwerk.« *Welt am Sonntag, Hamburg*

Hellas Channel
Ein Fall für Kostas Charitos. Roman
Aus dem Neugriechischen von Michaela Prinzinger

Nachtfalter
Ein Fall für Kostas Charitos. Roman
Deutsch von Michaela Prinzinger

Live!
Ein Fall für Kostas Charitos. Roman
Deutsch von Michaela Prinzinger

Balkan Blues
Geschichten. Deutsch von
Michaela Prinzinger

Der Großaktionär
Ein Fall für Kostas Charitos. Roman
Deutsch von Michaela Prinzinger